中国红木家具制作图谱⑤

沙 发 类

|主 编：李 岩|策 划：纪 亮|

China Great Craftsmanship: Atlas of China Hongmu Furniture Making

中国林业出版社

图书在版编目（CIP）数据

中国红木家具制作图谱.⑤，沙发类 / 李岩主编. —— 北京：中国林业出版社，2017.1
（大国匠造系列）

ISBN 978-7-5038-8812-0

Ⅰ.①中⋯ Ⅱ.①李⋯ Ⅲ.①沙发 – 红木科 – 木家具 – 制作 – 中国 – 图谱 Ⅳ.① TS664.1–64

中国版本图书馆 CIP 数据核字 (2016) 第 303789 号

大国匠造系列编写委员会

◎ 编委会成员名单
主　　编：李　岩
策　　划：纪　亮
编写成员：李　岩　　马建房　　栾卫超　　卢海华　　刘　辛　　赵　杨　　徐慧明　　佟晶晶
　　　　　刘　丹　　张　欣　　钱　瑾　　翟继祥　　王与娟　　李艳君　　温国兴　　曾　勇
　　　　　黄京娜　　罗国华　　夏　茜　　张　敏　　滕德会　　周英桂　　李伟进　　梁怡婷

◎ 特别鸣谢：中国林产工业协会传统木制品专业委员会
　　　　　　　中南林业科技大学中国传统家具研究创新中心

中国林业出版社　·　建筑与家居出版分社

责任编辑：纪　亮
文字编辑：纪　亮　王思源

出版：中国林业出版社
（100009 北京西城区德内大街刘海胡同 7 号）
http://lycb.forestry.gov.cn/
电话：（010）8314 3518
发行：中国林业出版社
印刷：北京利丰雅高长城印刷有限公司
版次：2017 年 3 月第 1 版
印次：2017 年 3 月第 1 次
开本：235mm×305mm　1/16
印张：16
字数：200 千字
定价：328.00 元（全套 6 册定价：1968.00 元）

前言

　　中华文化源远流长，在人类文明史上独树一帜，在孕育中华传统文化的同时更孕育出中国独有的家具文化。从中国家具文化史上看，明清是家具发展的高峰期。明代，手工业的艺人较前代有所增多，技艺也非常高超。明代江南地区手工艺较前代大大提高，并且出现了专业的家具设计制造的行业组织。《鲁班经匠家镜》一书是建筑的营造法式和家具制造的经验总结。它的问世，对明代家具的发展和形成起了重大的推动作用。到清代，明式硬木家具在全国很多地方都有生产，最终形成了以北京为核心的京作家具，以苏州为核心的苏作家具，以及以广州为核心的广作家具。明清家具的辉煌奠定了中国家具在世界家具史上的高度。

　　明清家具的发展史，也是中国红木与硬木家具的发展史。中国的匠人历来讲究的是因才施艺，对匠人的理解也是独特的，匠人乃承艺载道之人也。正所谓："匠人者身怀绝技之人是也，悟道铭于心，施艺凭于手，造物时手随心驰，心从手思，心手相应方可成承艺载道之器，器之表为艺，内则为道，道为器之魂、艺为器之体，缺艺之器难以载道，失道之器无可承艺，故道艺同存一体，不可分也。"

　　然而，由于种种原因，到了近现代中国传统红木家具的制作技艺并没有随着时代的发展而繁荣，大量的家具技艺成为国家的非遗保护项目，很多的技艺面临失传。党的十八大以来，国家越发重视制造业，重视匠人，并提出"匠人精神"、工匠兴国的发展理念。国家重视匠人，重视传统文化，重视传统家具，然匠人缺失，从业无标准可依托。本套图书及在这种背景下产生，共分为6册，分别为椅几类、柜格类、台案类、沙发类、床榻类、组合和其他类，收录了明清在谱家具和新中式家具6000余款，为了方便读者的学习，内容力求原汁原味的反映出传统家具技艺，并通过实物图、CAD三视图、精雕效果图多角度全方位展示。图书不仅展现了家具的精美外观，更解析了家具的精细结构，用尺寸比例定义中国红木家具的科学和美观。本套图书收录的家具经过编者的细心挑选，在谱的一比一还原复制，新中式比例得当样式精美，每一件家具都有名有款。

　　本套图书集设计、制作、收藏、鉴赏全流程的红木家具，力求面面俱到，但因内容繁复，难免有误，欢迎广大读者批评指正。

编者

目 录

如 意 沙 发

款式点评：

此款沙发搭脑向上突起浮雕麒麟纹与蝠纹，搭脑下板面浮雕如意纹式，靠背板浮雕花卉纹饰，靠背板弧形弯曲下有亮脚，扶手较宽，呈如意形，坐下牙板与腿面均浮雕蝠纹。足处方形内卷，整体宽阔厚重，造型古朴雅致，给人以稳重感。

透视图

透视图

侧视图

俯视图

精雕图

主视图

侧视图

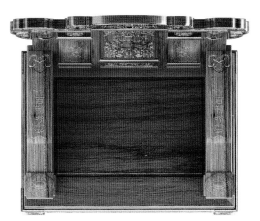

俯视图

——— 透视图 ———

——— 精雕图 ———

———— 透视图 ————

主视图

侧视图

俯视图

透视图

主视图

侧视图

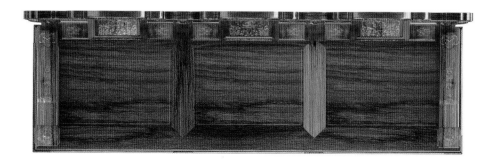

俯视图

———— CAD 结构图 ————

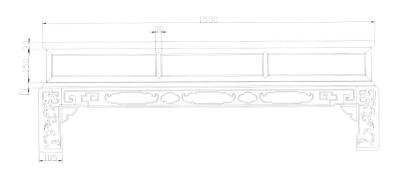

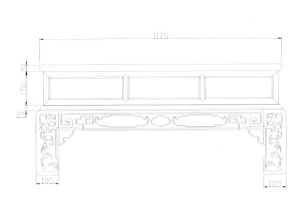

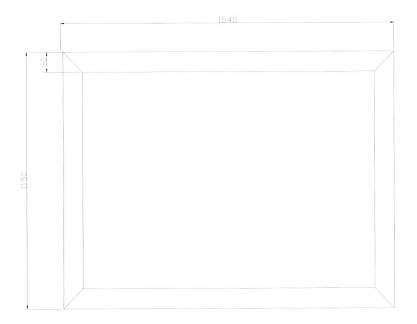

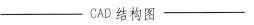

CAD 结构图

沙發類

13

精雕图

精雕图

卷草纹沙发

款式点评：

　　此款沙发搭脑为卷书状向后倾斜，搭脑面上浮雕麒麟寿字纹寓意人们对健康长寿的美好期许。靠背板上浮雕博古纹，靠背板呈弧形弯曲，下有亮脚。扶手边框呈圆形外卷，连帮棍处有圆形浮雕寿字。座面下有束腰，束腰浮雕花纹，腿面牙板浮雕花纹，足处浮雕回形纹，整体宽阔厚重，造型古朴雅致，给人以稳重感。

透視圖

透 视 图

主视图

侧视图

俯视图

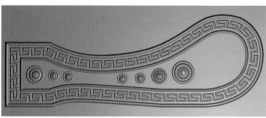

精雕图

主视图

侧视图

俯视图

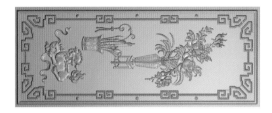

—— 精雕图 ——

—— 透视图 ——

沙發類

———— 透视图 ————

主视图

侧视图

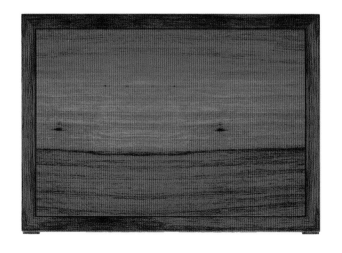

俯视图

———— 精雕图 ————

主视图

侧视图

俯视图

—— 精雕图 ——

—— 透视图 ——

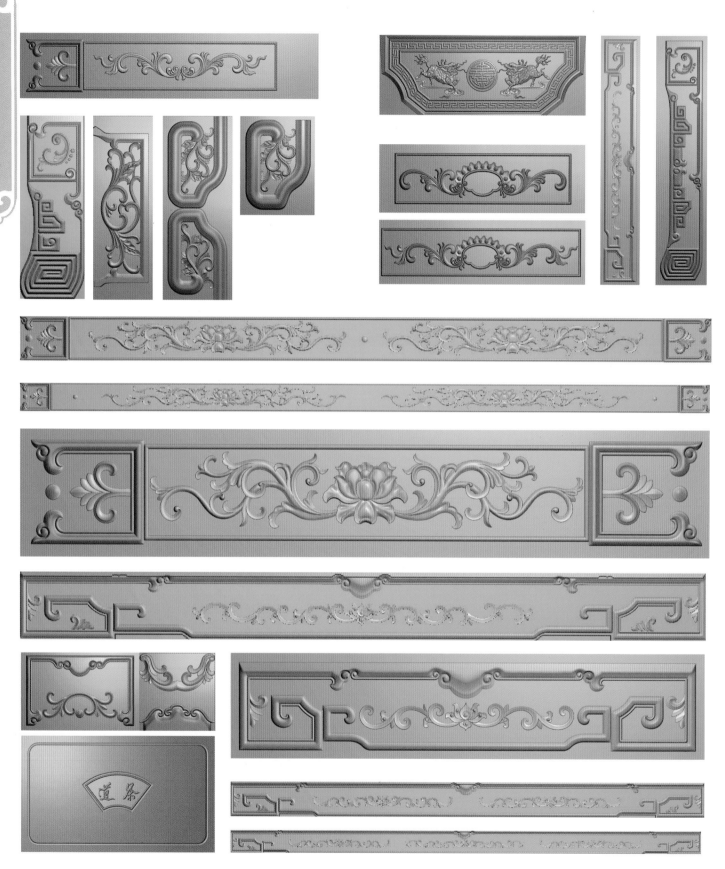

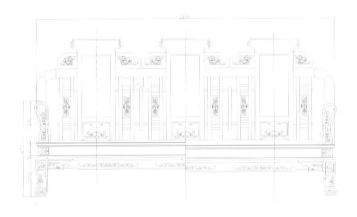

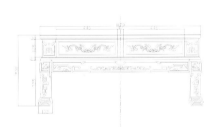

—— CAD 结构图 ——

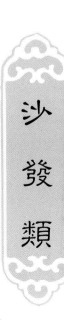

八 宝 沙 发

款式点评:

此款沙发搭脑呈阶梯状向上突起，外沿浮雕八仙与童子纹式，主沙发座椅靠背板浮雕园林风光图景，寓意对美好生活的向往。扶手边框宽阔厚重。沙发座面下有束腰，方腿直足，牙板腿面浮雕纹式，整体宽阔厚重，造型古朴雅致，给人以稳重感。

透視图

透视图

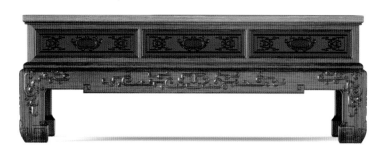

主视图

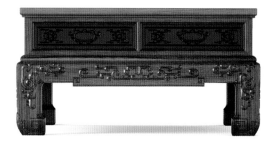

侧视图

俯视图

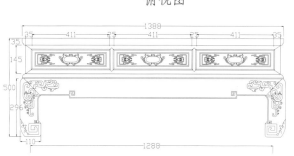

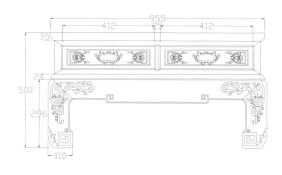

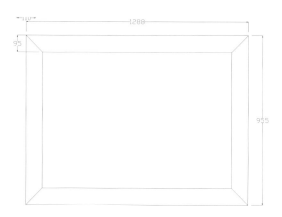

———— CAD 结构图 ————

透视图

主视图

侧视图

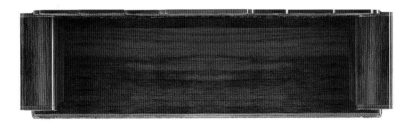

俯视图

CAD 结构图

主视图

侧视图

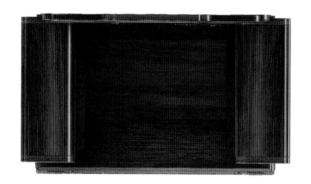

俯视图

———— 透视图 ————

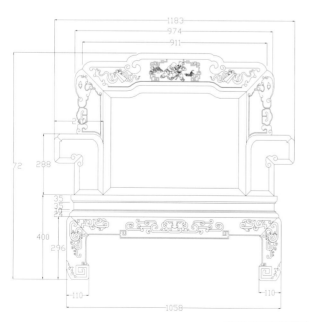

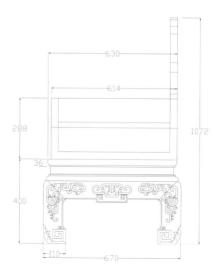

———— CAD 结构图 ————

主视图

侧视图

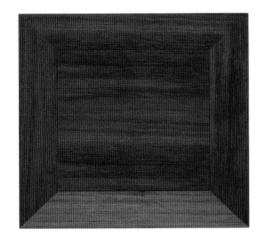

俯视图

———— 透视图 ————

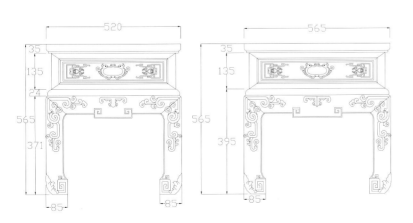

———— CAD 结构图 ————

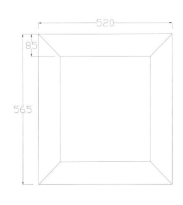

沙發類

29

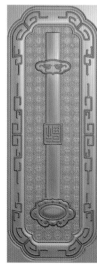

———— 精雕图 ————

精雕图

长　寿　沙　发

款式点评：

　　此款沙发搭脑呈卷轴状，内浮雕花纹，搭脑浮雕大象头与如意纹式寓意吉祥如意，靠背板浮雕博古纹，靠背板有镂空雕饰显得空灵美观。座板下有束腰，牙板腿面浮雕纹式。足有回形纹内卷。整体雕饰精巧，宽阔厚重，造型古朴雅致，给人以华丽感。

透視圖

—————— 透视图 ——————

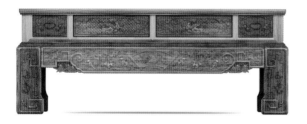

主视图

侧视图

俯视图

主视图

侧视图

俯视图

———— 透视图 ————

透视图

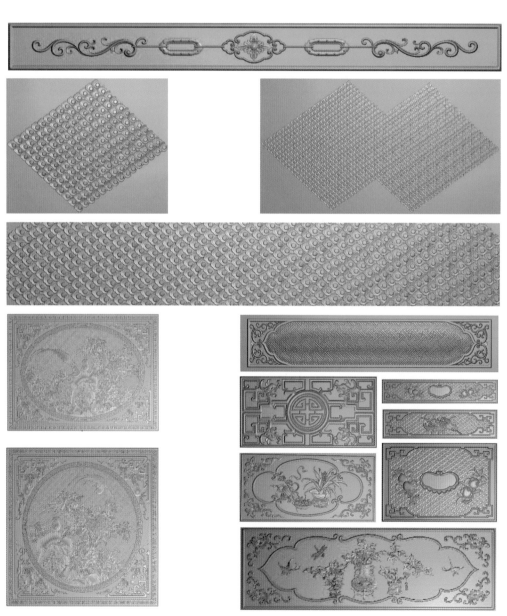

精雕图

精雕图

精雕图

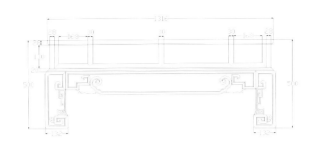

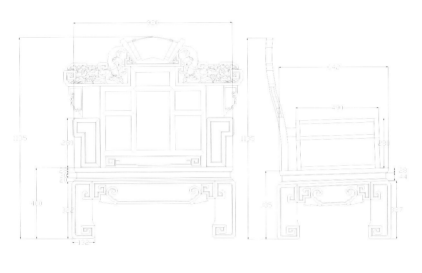

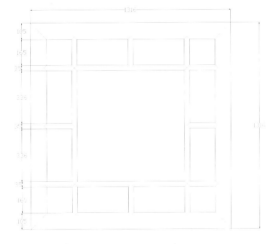

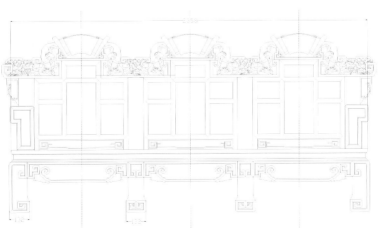

———— CAD 结构图 ————

战　国　沙　发

款式点评：

　　此款沙发搭脑上雕福禄与仙桃凤凰等纹式，主沙发正中浮雕扇形板，内浮雕长城纹式。靠背板呈弧形弯曲，靠背板浮雕博古纹，下有亮脚，靠背边框与扶手边框呈弧形，均较粗壮厚重，座板下腿面牙板均浮雕纹式，整体宽阔厚重，雕饰精巧，给人以稳重感。

透視图

透视图

主视图

侧视图

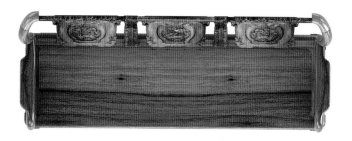

俯视图

主视图

侧视图

俯视图

—— 透视图 ——

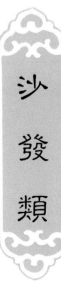

沙發類

43

透视图

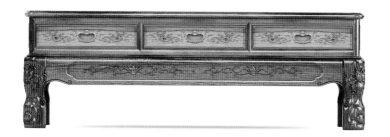

主视图

侧视图

俯视图

主视图

侧视图

俯视图

———— 透视图 ————

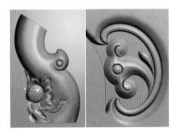

———— 精雕图 ————

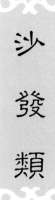

八宝如意沙发

款式点评：

　　此款沙发搭脑上端圆雕如意童子，靠背板呈弧形弯曲，靠背板浮雕蝠纹与博古纹，靠背边框呈回形，扶手较宽阔，座板宽阔满雕卐字纹与博古纹，腿与扶手板顺势而下，宽阔厚重，造型古朴雅致，给人以稳重感。

透视图

透视图

主视图

侧视图

俯视图

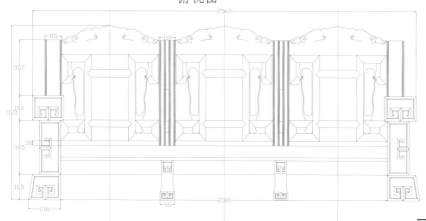

CAD 结构图

主视图

侧视图

俯视图

———— 透视图 ————

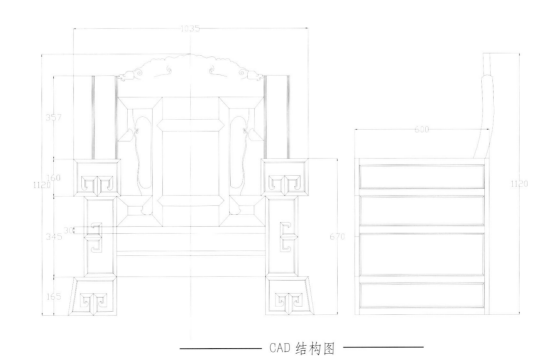

———— CAD 结构图 ————

沙發類

透视图

主视图

侧视图

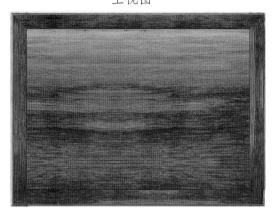

俯视图

透视图

主视图

俯视图

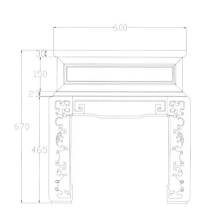

CAD 结构图

精雕图

沙發類

卷 书 沙 发

款式点评：

此款沙发靠背板较矮，浮雕竹林纹样，搭脑呈卷书状向上突起，靠背边框与扶手边框为方形边框。座板宽阔，座板下有束腰，方腿直足，足下有圆形脚垫。整体造型方正给人以稳重感。

透視圖

主视图

侧视图

俯视图

———— 透视图 ————

透视图

主视图

侧视图

俯视图

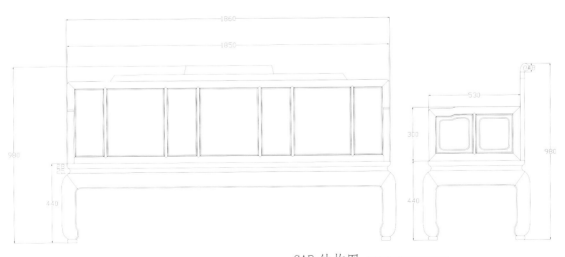

CAD 结构图

透视图

主视图   侧视图

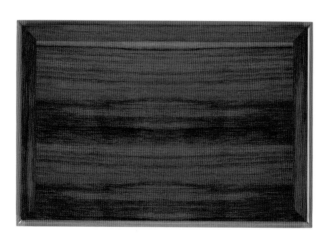

俯视图

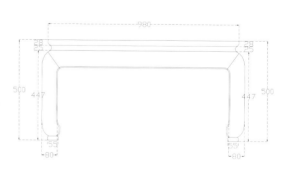

———— CAD 结构图 ————

主视图

透视图

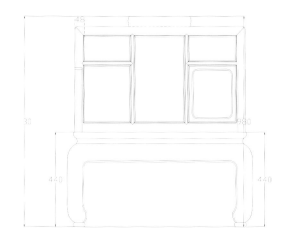

俯视图

CAD 结构图

沙發類

金丝楠靠背沙发

款式点评：

　　此款沙发靠背板呈卷书状向后弯曲，靠背板镶嵌金丝楠水波纹木，靠背边下有亮脚。靠背框与扶手边框和连帮棍弯曲流畅，座板宽阔，座板下罗锅枨加矮老形式，圆腿直足，四足外撇。腿间步步高横枨，横枨下有牙条，高几面罗锅枨加矮老形式，圆腿直足，四足外撇，平几与高几造型一致，面下有三块挡板，面板浮雕葫芦纹式，几腿间有托板，托板镂空处理。整体简洁大方，自然优美。

透視圖

透视图

主视图

侧视图

俯视图

透视图

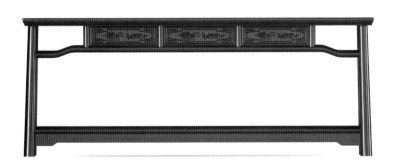

主视图

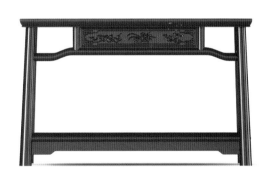

侧视图

俯视图

沙發類

61

主视图

侧视图

俯视图

—— 透视图 ——

主视图

侧视图

俯视图

———— 透视图 ————

—— 精雕图 ——

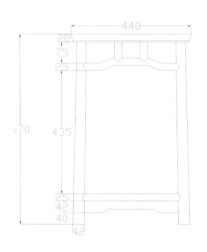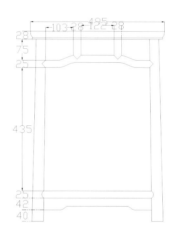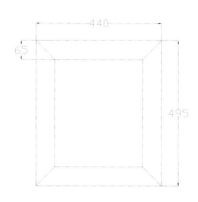

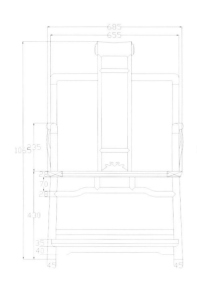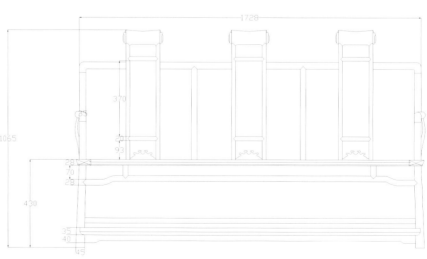

—— CAD 结构图 ——

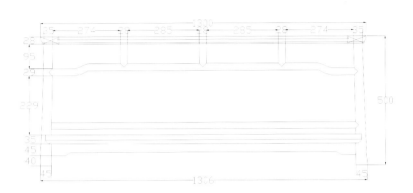

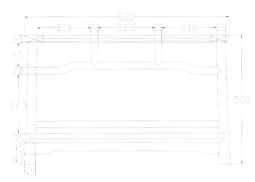

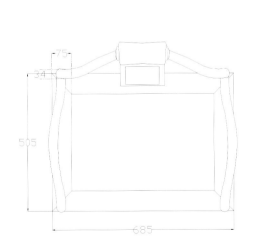

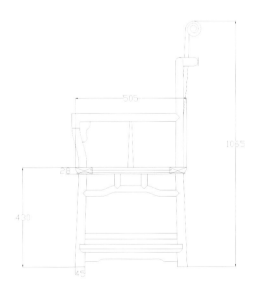

CAD 结构图

紫檀靠背椅沙发

款式点评:

　　此款沙发靠背板呈弧形弯曲，中上端雕刻方形寿字纹，靠背边框与扶手边框弯曲流畅，座板宽阔，座板下圆腿直足，四足外撇。腿间壸门形牙板，腿间步步高横枨。高几面下罗锅枨加矮老形式，圆腿直足，四足外撇，平几罗锅枨与面之间有牙板，牙板浮雕纹式。整体简洁大方，自然优美。

透視图

透视图

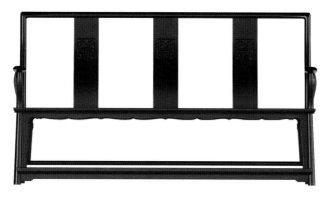

主视图

侧视图

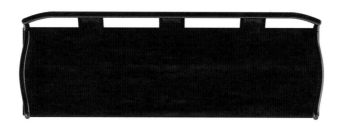

俯视图

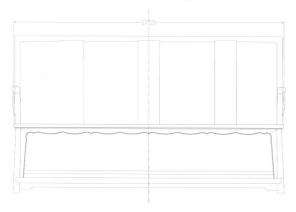

CAD 结构图

透视图

主视图 　　　　　　　　　　　　　　　　　　　侧视图

俯视图

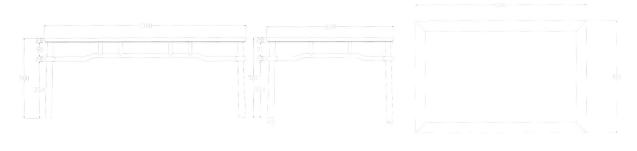

CAD 结构图

主视图

侧视图

俯视图

—— 透视图 ——

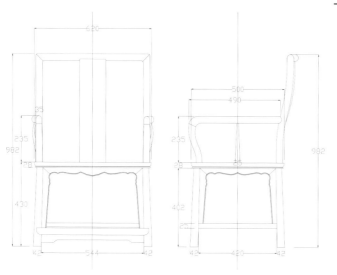

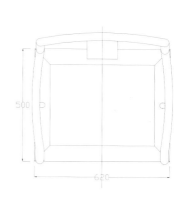

—— CAD 结构图 ——

主视图

侧视图

俯视图

———— 透视图 ————

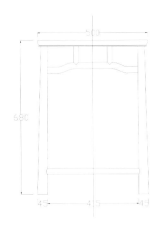

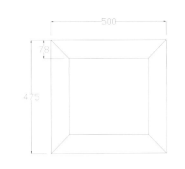

———— CAD 结构图 ————

浮雕苍龙纹沙发

款式点评：

　　此款沙发搭脑上为一横杆，靠背板上端浮雕苍龙教子纹，靠背边框呈弧形弯曲，扶手边框圆润厚实，坐板下有罗锅枨加矮老，矮老之间有横板，圆腿直足。小几、平几造型简洁流畅，给人整体饱满圆润的感觉。

透視圖

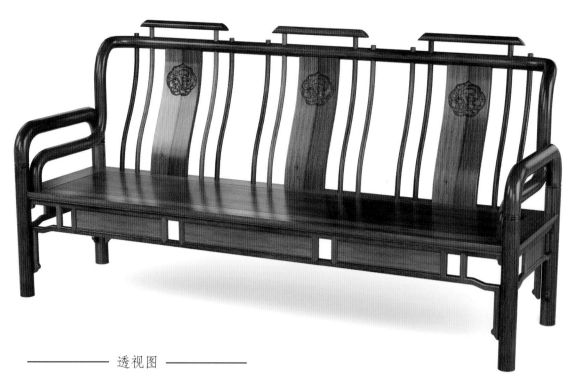

———— 透视图 ————

主视图

侧视图

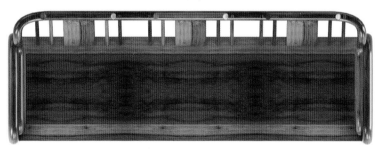

俯视图

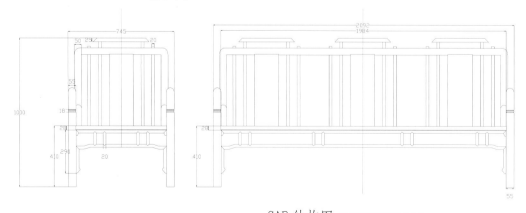

———— CAD 结构图 ————

主视图

侧视图

俯视图

———— 透视图 ————

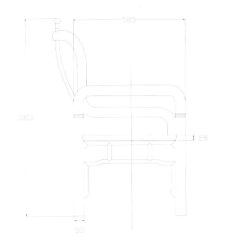

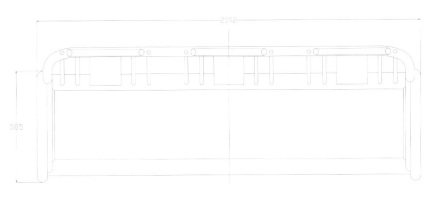

———— CAD 结构图 ————

主视图

侧视图

俯视图

透视图

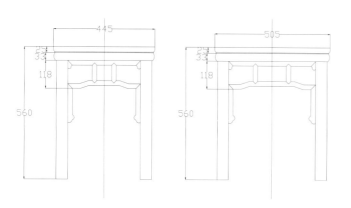

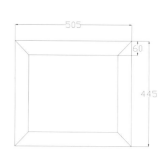

CAD 结构图

透视图

主视图

侧视图

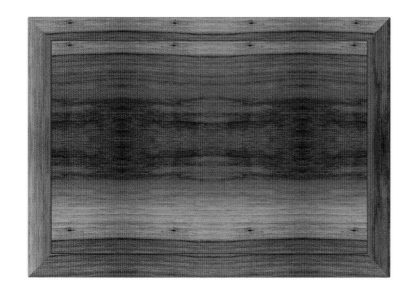

俯视图

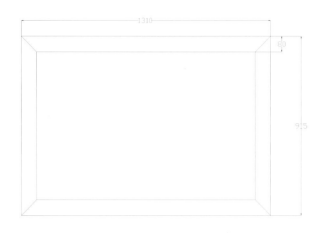

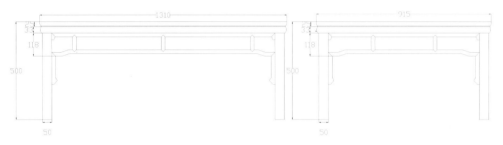

CAD 结构图

精雕图

草 龙 纹 沙 发

———— 透视图 ————

款式点评:

　　此款沙发搭脑向上凸起,两端雕草龙头向下垂,靠背板浮雕纹式,靠背边框呈回纹状,主沙发正中设一小案桌,坐板下有束腰,束腰上雕饰爆竹纹,方腿直足,腿侧有托角牙,平几面下有屉,整体美观大气,自然流畅。

透视图

主视图

侧视图

俯视图

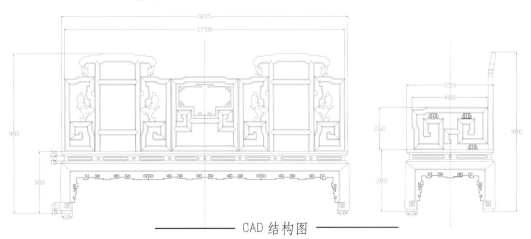

CAD 结构图

主视图

侧视图

俯视图

———— 透视图 ————

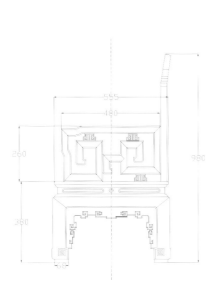
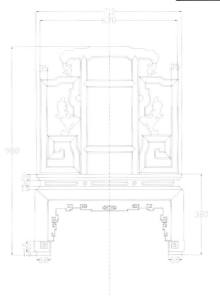

———— CAD 结构图 ————

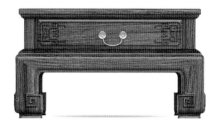

主视图

侧视图

俯视图

—— 透视图 ——

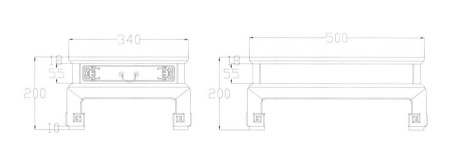

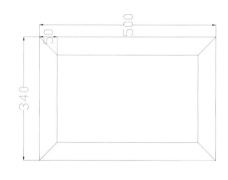

—— CAD 结构图 ——

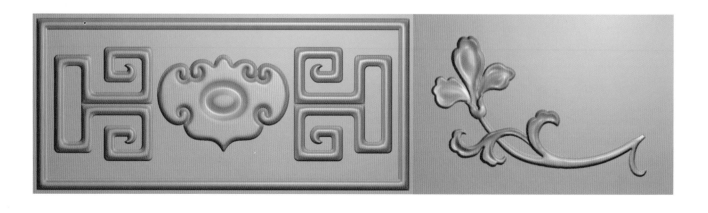

—— 精雕图 ——

主视图

侧视图

俯视图

—— 透视图 ——

—— CAD 结构图 ——

—— 精雕图 ——

透视图

主视图

侧视图

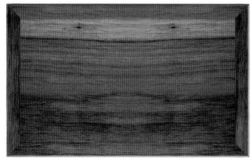

俯视图

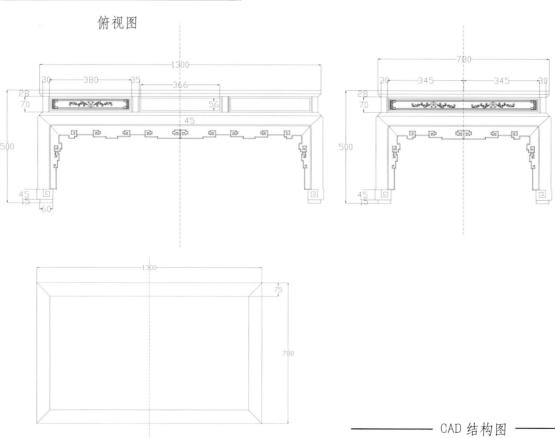

CAD 结构图

福 庆 沙 发

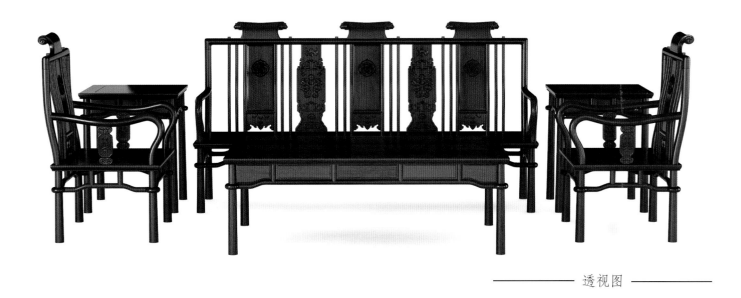

款式点评：

　　此款沙发搭脑向上凸起向后卷曲，靠背板浮雕福寿纹，靠背板下有亮脚，沙发扶手边框呈弯曲的弧形，扶手与座板之间有板相连，座面下罗锅枨加矮老，圆腿直足。平几桌面宽阔，圆腿直足，整体美观大气，自然流畅。

透视图

主视图

侧视图

俯视图

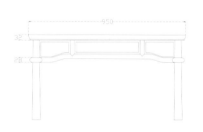

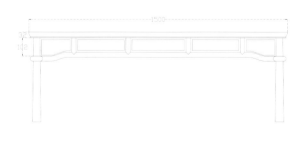

CAD 结构图

主视图

侧视图

俯视图

———— 透视图 ————

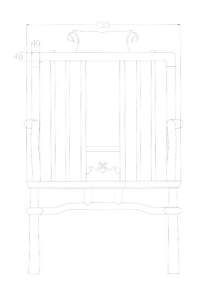

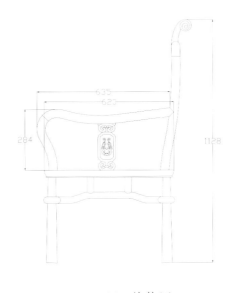

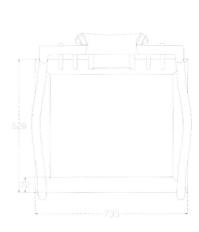

———— CAD 结构图 ————

主视图

侧视图

俯视图

———— 透视图 ————

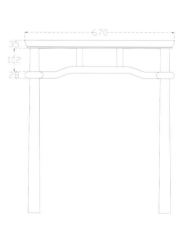

———— CAD 结构图 ————

透视图

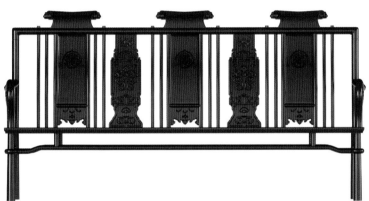

主视图

俯视图

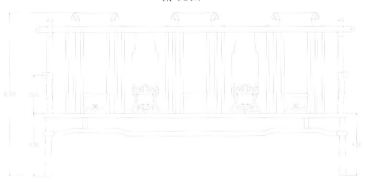

CAD 结构图

精雕图

花 开 富 贵 沙 发

款式点评：

此款沙发搭靠背板为梳条状，主沙发三块靠背板上端浮雕花开富贵纹式，座面下罗锅枨加矮老，圆腿直足，侧坐沙发间有小高几，正中方大平几，平几面下罗锅枨加矮老形式，圆腿直足。整体造型圆润饱满，空灵疏透。给人以简洁的美感。

透视图

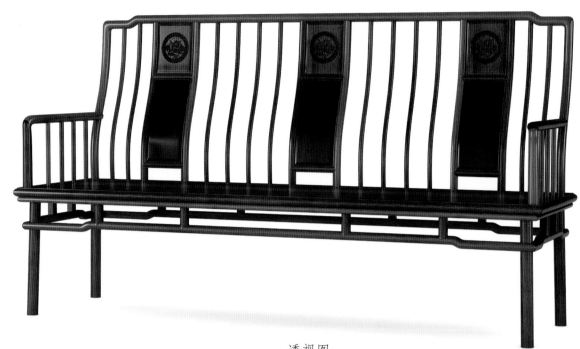

透视图

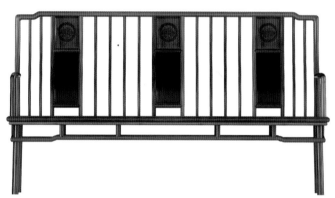

主视图

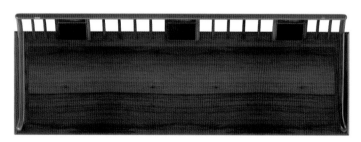

俯视图

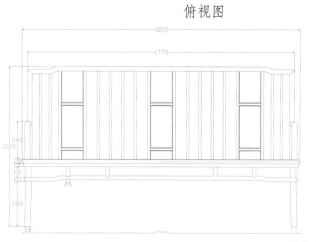

侧视图

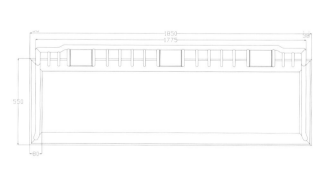

CAD 结构图

主视图

侧视图

俯视图

—— 透视图 ——

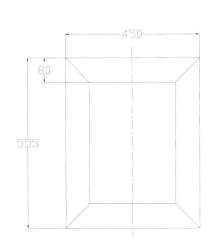

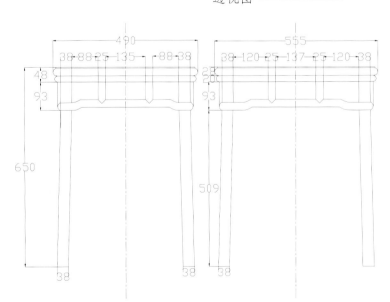

—— CAD 结构图 ——

主视图

侧视图

俯视图

———— 透视图 ————

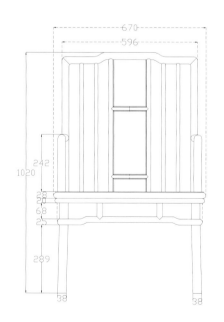

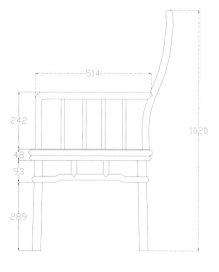

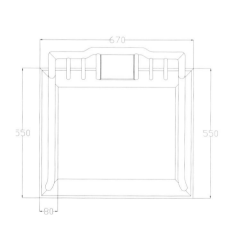

———— CAD 结构图 ————

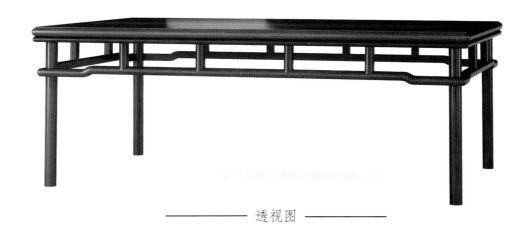

透视图

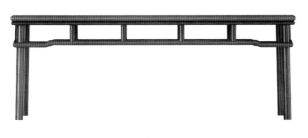

主视图

侧视图

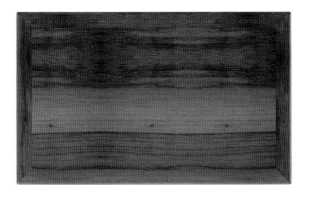

俯视图

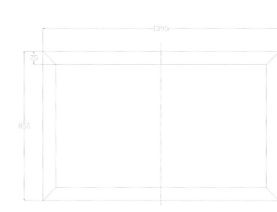

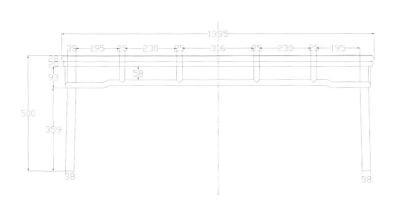

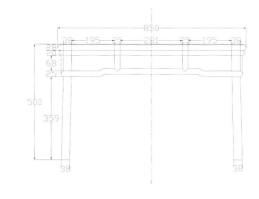

CAD 结构图

沙發類

卷 书 状 沙 发

款式点评：

　　此款沙发搭脑做卷书状，向后倾斜弯曲，搭脑下有两如意形翅向外突出，靠背板浮雕福庆有余纹，周围有回形纹做装饰，靠背板下有亮脚，靠背边框以及扶手边框均为回形，座板下有束腰，方腿直足，牙板与腿间有角花，腿间有横枨。平几腿间有横枨，横枨中间有长方形格子做托板。整体优雅美观。

透視图

透视图

主视图

侧视图

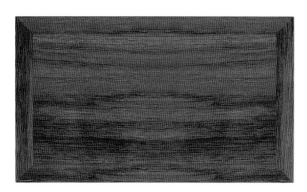

俯视图

CAD 结构图

透视图

主视图

侧视图

俯视图

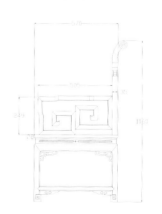

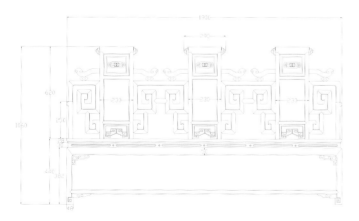

CAD 结构图

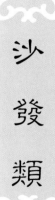

沙發類

主视图

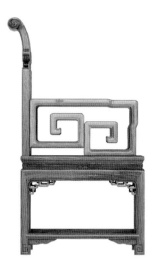

侧视图

俯视图

透视图

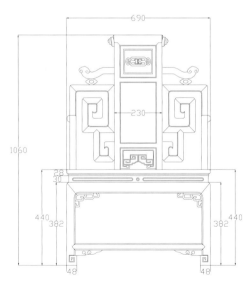

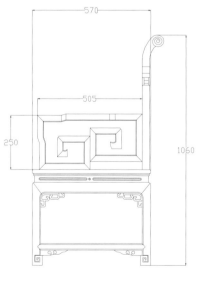

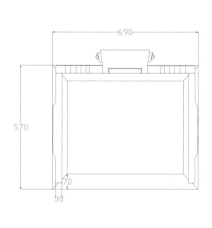

CAD 结构图

主视图　　　　　　　　侧视图

俯视图

透视图

主视图　　　　　　　　侧视图

俯视图

透视图

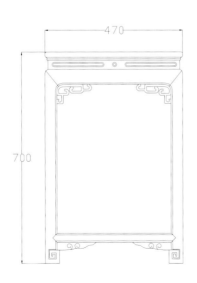

CAD 结构图

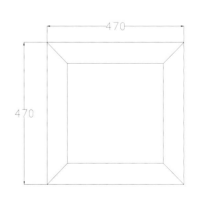

童子寿桃纹沙发

款式点评：

　　此款沙发搭脑向上凸起，搭脑处浮雕童子寿桃纹，靠背板浮雕童子纹样，靠背边框呈回纹状，沙发坐板下有束腰，牙板与腿面浮雕吉祥图样，腿三弯，足浮雕卷草纹饰，平几面下有屉，整体美观大气，雕工精巧。

透视图

透视图

主视图

侧视图

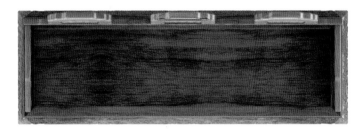

俯视图

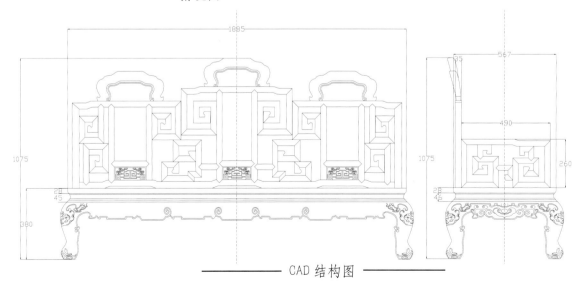

CAD 结构图

主视图

侧视图

俯视图

———— 透视图 ————

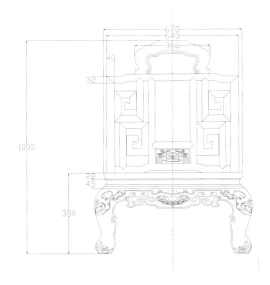

———— CAD 结构图 ————

透视图

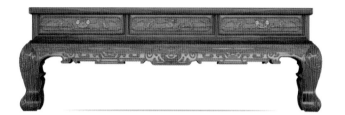

主视图

侧视图

俯视图

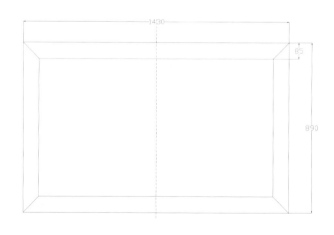

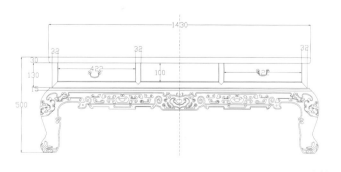

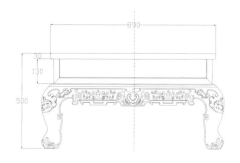

CAD 结构图

主视图

侧视图

俯视图

透视图

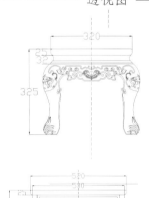

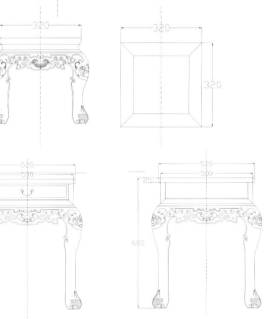

CAD 结构图

透视图

主视图

侧视图

俯视图

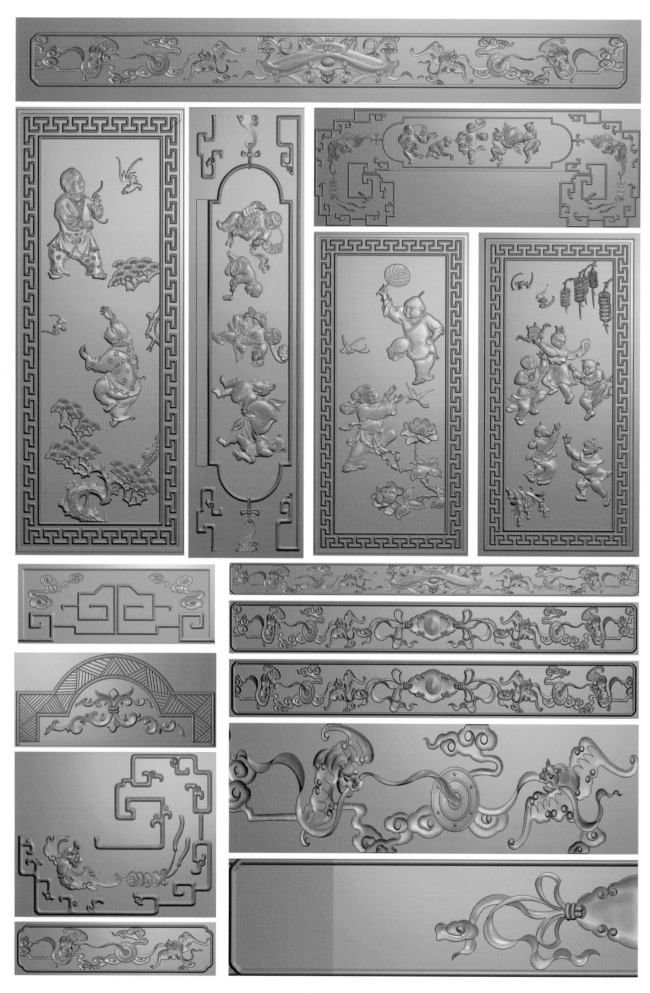

精雕图

荷 花 沙 发

———— 透视图 ————

款式点评：

　　沙发搭脑与沙发两侧扶手边框处圆雕荷花，两侧有立柱，靠背板分三块，光素无雕饰，坐板下无束腰，座面下挡板做镂空雕饰，透雕莲花纹式。沙发整体稳重大气，雕饰华丽精致。

透视图

俯视图

侧视图

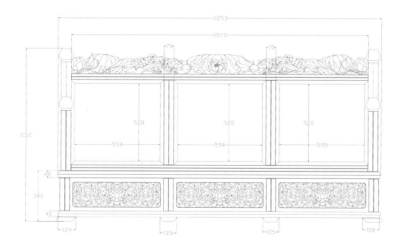

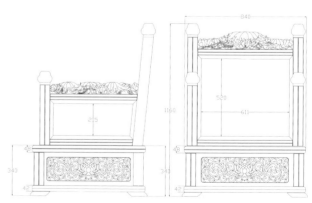

—————— CAD 结构图 ——————

透视图

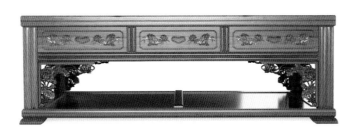

主视图

侧视图

俯视图

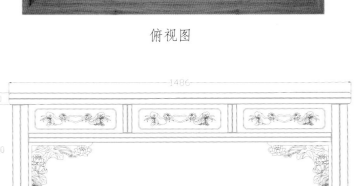

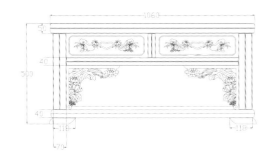

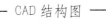

CAD 结构图

主视图

侧视图

俯视图

——— 透视图 ———

——— 精雕图 ———

主视图

侧视图

俯视图

—— 透视图 ——

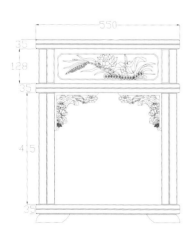

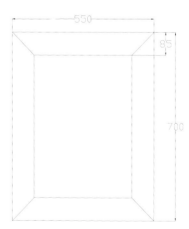

—— CAD 结构图 ——

太子沙发

款式点评：

此款沙发搭脑呈卷书状，向后倾斜弯曲，并且于搭脑处有雕饰蝠纹，三人沙发靠背板中间有两菱形方板连接，方板上浮雕花纹，两侧边板浮雕福庆纹，寓意福庆有余。沙发整体宽大，扶手较宽，向外卷曲，外侧内中空，内有托柱。沙发牙板处有浮雕，方腿直足，整体大气美观。

透视图

透视图

主视图

侧视图

俯视图

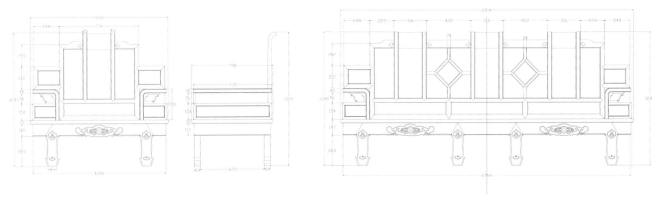

CAD 结构图

主视图

侧视图

俯视图

—————— 透视图 ——————

—————— 精雕图 ——————

主视图

侧视图

俯视图

———— 透视图 ————

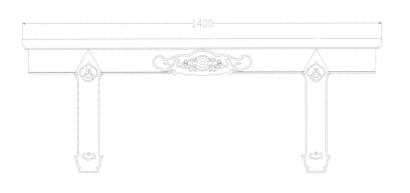

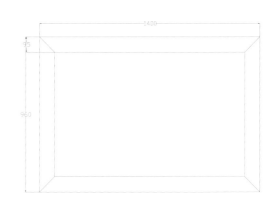

———— CAD 结构图 ————

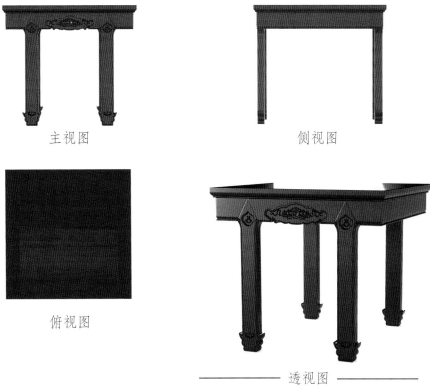

主视图   侧视图

俯视图

透视图

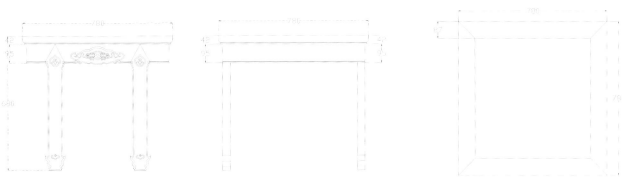

CAD 结构图

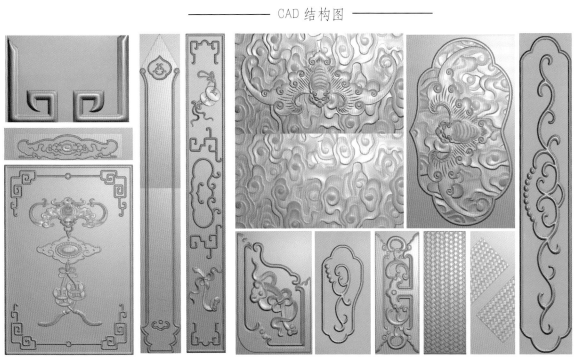

精雕图

卷书状浮雕沙发

款式点评:

　　此款沙发搭脑呈卷书状,向后倾斜弯曲,靠背板浮雕纹式,座面下有束腰,牙板弧形,腿三弯形,主沙发两侧有高几,高几三弯腿自然流畅美观大方,平几面下有两屉,腿三弯造型。整体自然流畅,美观大气。

透视图

透视图

主视图

侧视图

俯视图

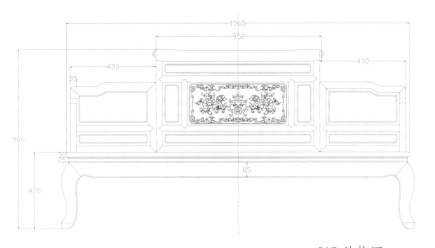

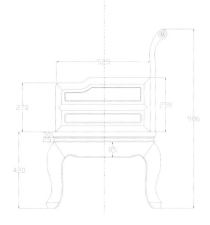

CAD 结构图

主视图

侧视图

俯视图

—— 主视 —— 透视图 ——

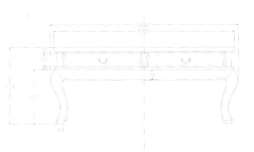 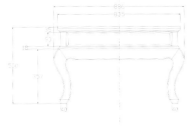 

—— CAD 结构图 ——

沙發類

123

主视图

侧视图

俯视图

—— 透视图 ——

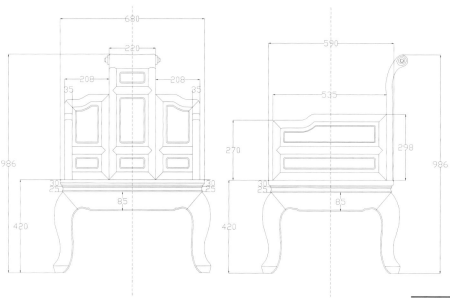

主视图

俯视图

CAD 结构图

透视图

精雕图

条 形 沙 发

款式点评：

此款沙发造型设计源于古代的罗汉床，座面很宽阔，背板及扶手同样高度，靠板为栏杆形，扶手侧板出浮雕蝠纹，主沙发两侧设计高几，沙发正中设平几，平几前设矮凳。整体造型简洁流畅，显出自然美感。

———— 透視圖 ————

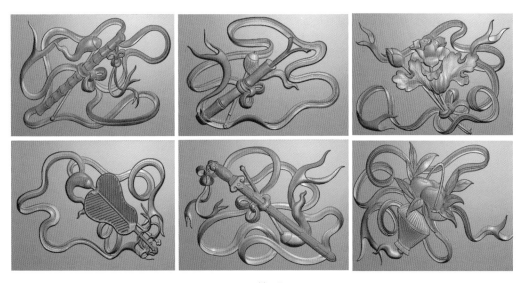

———— 精雕圖 ————

大國匠造

—— 透视图 ——

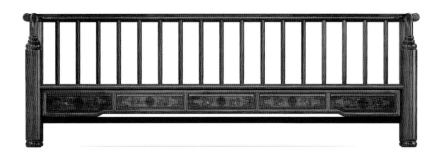

主视图

侧视图

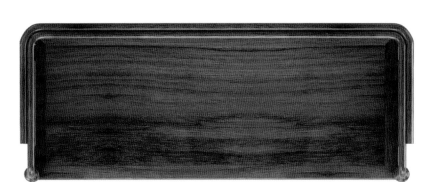

俯视图

—— 精雕图 ——

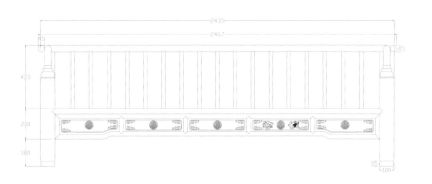

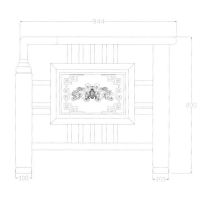

—— CAD 结构图 ——

透视图

主视图

侧视图

俯视图

精雕图

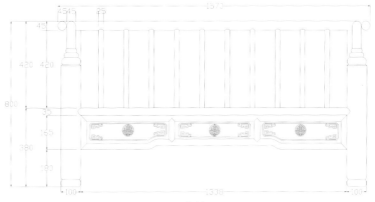

CAD 结构图

主视图

透视图

俯视图

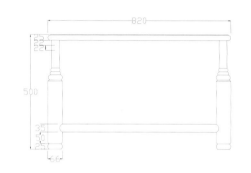

CAD 结构图

主视图

侧视图

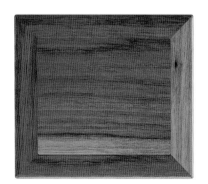

俯视图

透视图

透视图

主视图

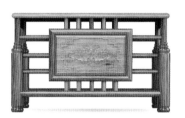

侧视图

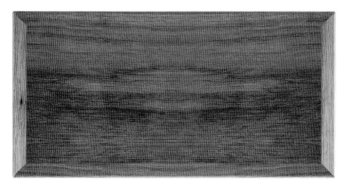

俯视图

CAD 结构图

精雕图

沙發類

皇宫圈椅沙发

款式点评：

此款沙发造型设计来源于清式皇宫圈椅，皇宫椅前后腿足一般穿过座面，形成靠背和扶手的支柱，上下一木连做，这种做法坚实而合理。这件圈椅有束腰，而且带托泥。圈椅的细部做工精致，靠背板上截透雕卷草纹，中间镶嵌金丝楠樱木，下截寿云纹亮脚。靠背板和圈椅及座面相交处，使用四大块角牙，加强了装饰效果，手法精巧别致。此款沙发是工料绝精而且有代表性的经典家具款式。

透视图

透视图

主视图

侧视图

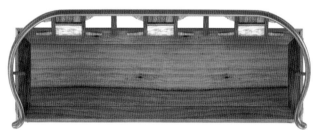

俯视图

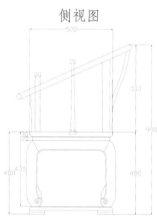

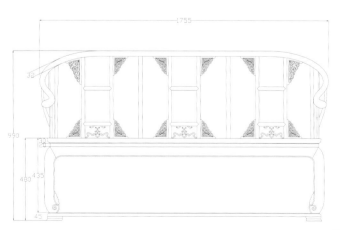

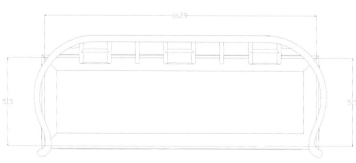

CAD 结构图

主视图

侧视图

俯视图

透视图

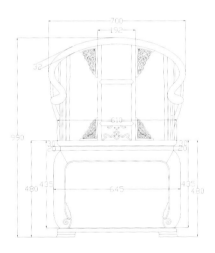

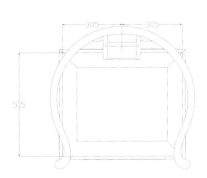

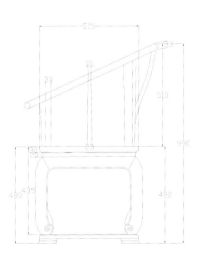

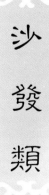
CAD 结构图

主视图

侧视图

透视图

俯视图

精雕图

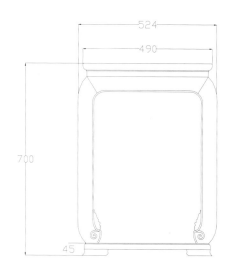

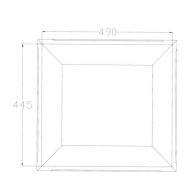

CAD 结构图

透视图

主视图

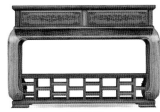

侧视图

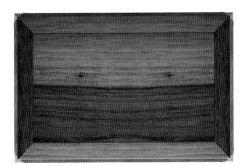

俯视图

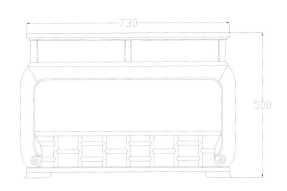

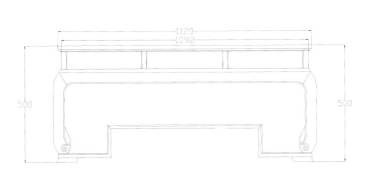

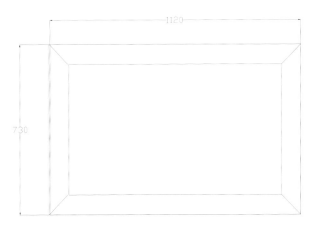

CAD 结构图

沙發類

明 式 圈 椅 沙 发

款式点评：

此套沙发造型设计源于明式圈椅造型，椅圈弧度自然饱满，靠板呈弧形，自然流畅。座面下罗锅枨加高矮老，腿间有横枨，横枨下有托板，整体自然流畅美观大方。

透视图

—— 透视图 ——

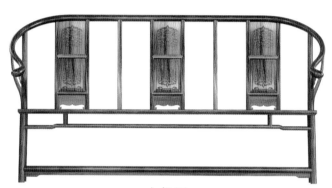

主视图

侧视图

俯视图

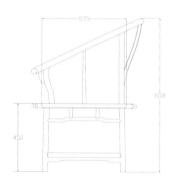

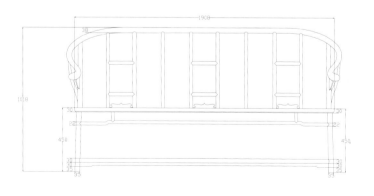

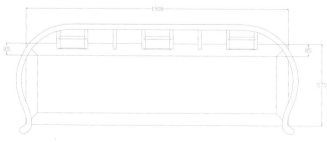

—— CAD 结构图 ——

———— 透视图 ————

主视图

侧视图

俯视图

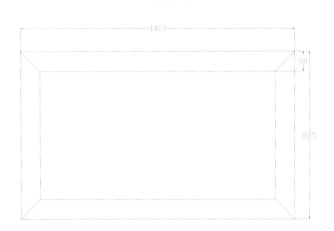

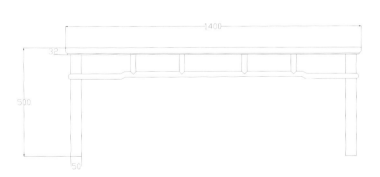

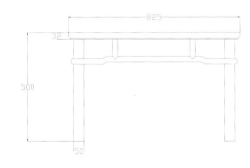

———— CAD 结构图 ————

主视图

侧视图

俯视图

透视图

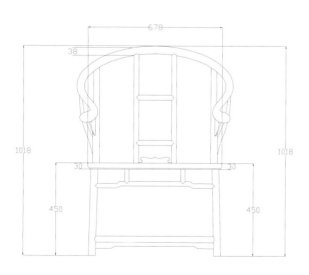

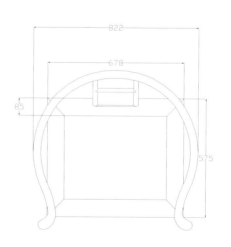

CAD 结构图

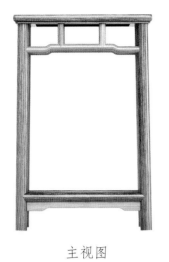

主视图

侧视图

俯视图

—— 透视图 ——

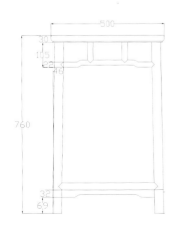
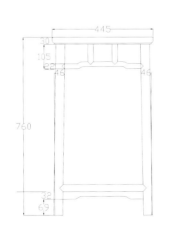
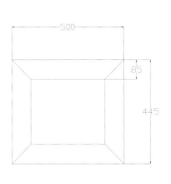

—— CAD 结构图 ——

靠背椅沙发

款式点评：

此套沙发的设计源于明式官帽椅，搭脑平直，两端向后弯曲，靠背板呈S形弯曲，靠背板上端浮雕寿字纹，寓意福寿安康。座面宽阔，牙板呈壶门形，圆腿直足，腿间有横枨，主沙发为三人沙发，侧坐两椅间设高几，中间设平几，平几前由矮凳。整体造型圆润饱满，自然流畅，给人满眼的舒适感。

透视图

透视图

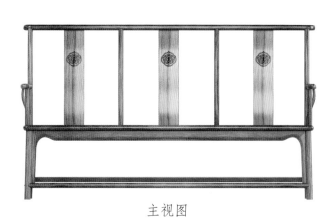

主视图

侧视图

俯视图

精雕图

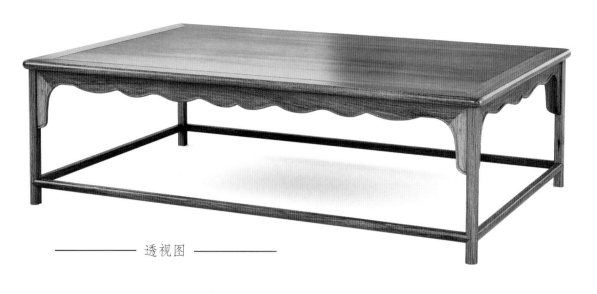

透视图

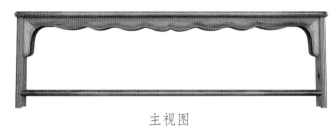

主视图

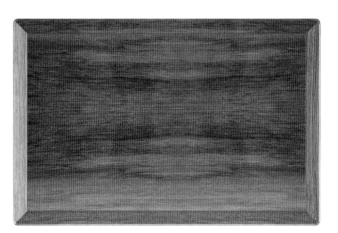

俯视图

透视图

侧视图

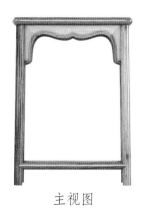

主视图

侧视图

俯视图

主视图

俯视图

透视图

透视图

主视图

侧视图

俯视图

沙發類

梳背沙发

款式点评：

　　此套沙发靠背板成梳条状，靠背板中间有小巧的方形板做装饰，座面光素，座面下有罗锅枨，圆腿直足，此套沙发中分别有高几、中几、平几，整套家具器形统一，圆润空灵，优雅中带着秀气。

透視圖

透视图

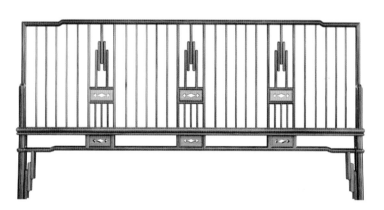

主视图

侧视图

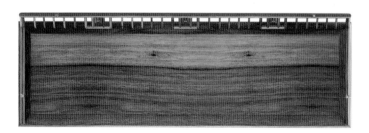

俯视图

主视图

侧视图

俯视图

──────── 透视图 ────────

──────── 透视图 ────────

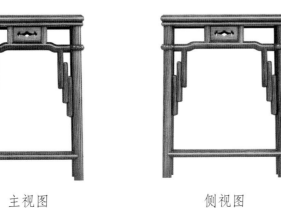

主视图

侧视图　　　　俯视图

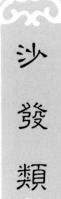

沙
發
類

主视图

俯视图

透视图

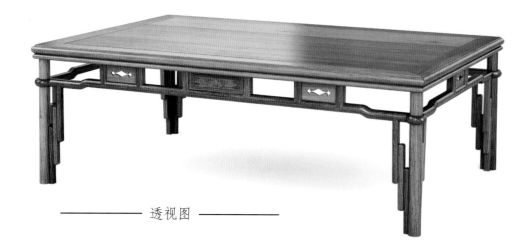

透视图

主视图

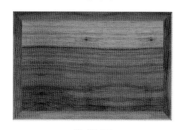

俯视图

侧视图

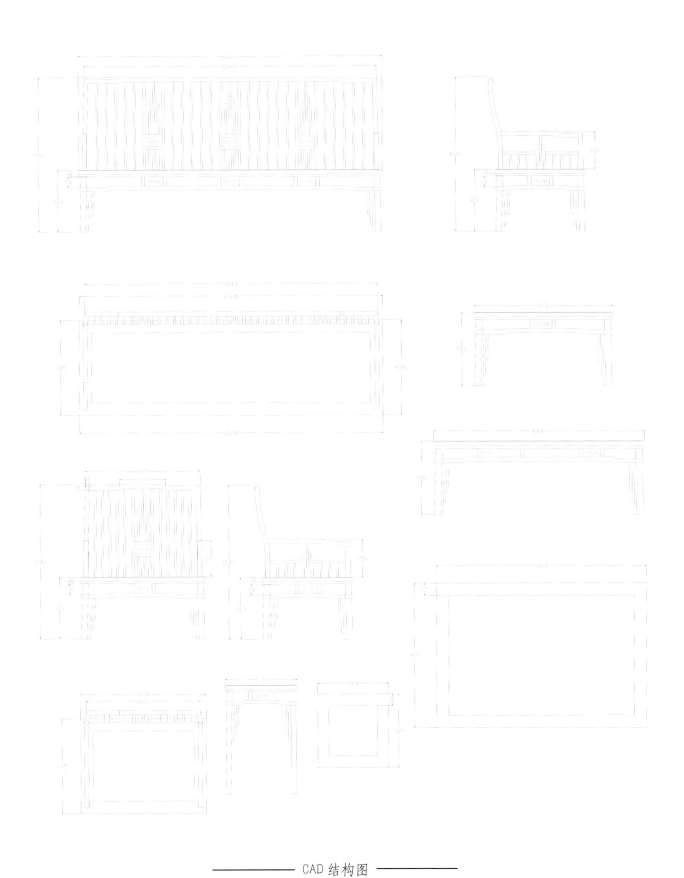

—— CAD 结构图 ——

沙發類

仙 女 图 沙 发

款式点评:

　　主沙发为三人沙发，靠背板分三块，向后倾斜。沙发搭脑处雕刻仙女图，靠背板浮雕福庆纹，扶手边框宽阔，面浮雕仙桃、童子等吉祥纹式。沙发牙板与腿面处浮雕回纹，腿方直足内卷。整器优雅大气，寓意吉庆祥和。

透视图

精雕图

主视图

侧视图

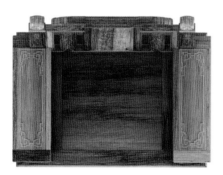

俯视图

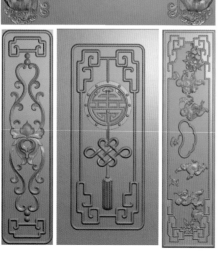

—— 精雕图 ——

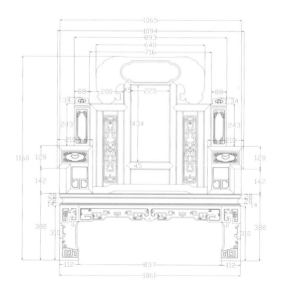

—— CAD 结构图 ——

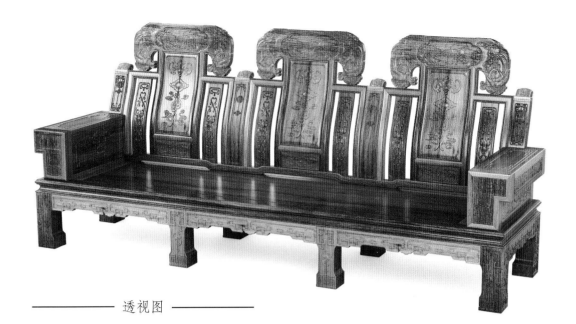

透视图

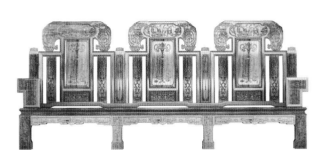

主视图

侧视图

俯视图

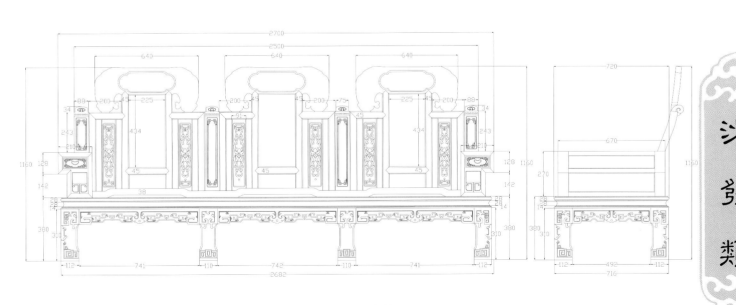

CAD 结构图

沙發類

透视图

主视图

侧视图

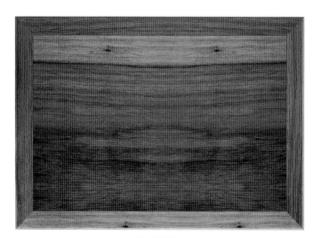

俯视图

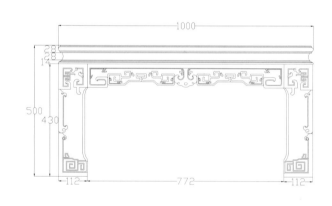

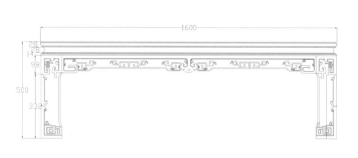

CAD 结构图

主视图

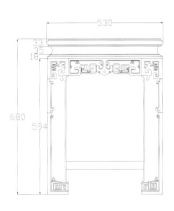

俯视图

———— CAD 结构图 ————

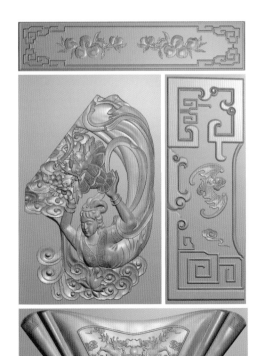

———— 精雕图 ————

———— 透视图 ————

沙發類

花 鸟 檀 雕

款式点评：

　　主沙发为三人沙发，靠背板分三块，靠背板正中镶嵌金丝楠水波纹木，搭脑向上突起，靠背板下有亮脚，底部有回纹角花。扶手板内侧向外翻卷，外侧有回纹边框支撑。座板光素，下有束腰，方腿直足，牙板腿面均浮雕祥云纹式。整器空灵大气，雕饰华丽精致。

透視圖

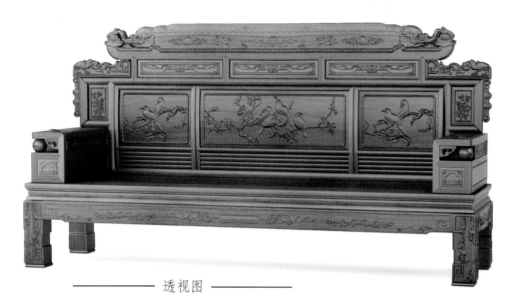

透视图

主视图

侧视图

俯视图

精雕图

主视图

侧视图

俯视图

透视图

透视图

主视图

俯视图

透视图

主视图

侧视图

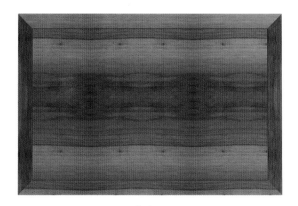

俯视图

透视图

主视图

侧视图

俯视图

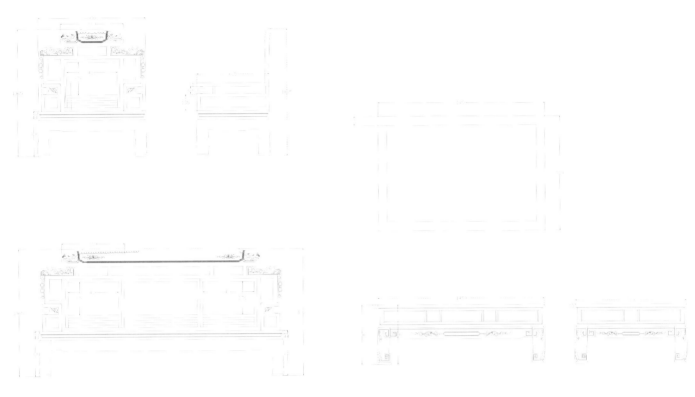

精雕图

沙發類

兰 亭 沙 发

款式点评：

　　主沙发座椅背板宽阔，搭脑雕饰造型，靠背板浮雕兰亭序，沙发扶手较宽，扶手面雕有纹式，面下束腰，束腰处有雕饰。牙板与腿面浮雕纹式，腿脚处有回纹做装饰。整器大气美观，雕饰华丽精致。

透視圖

精雕圖

—— 透视图 ——

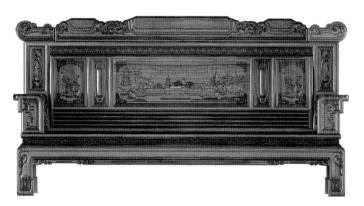

主视图　　　　　　　　　　　　　　　　侧视图

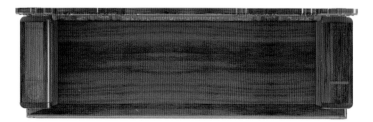

俯视图

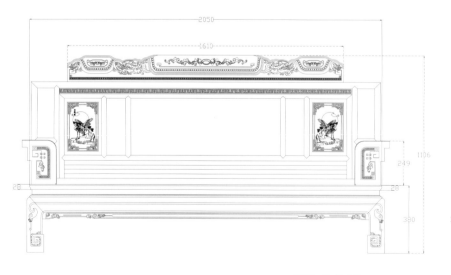
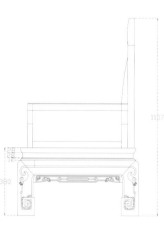

—— CAD 结构图 ——

透视图

主视图

侧视图

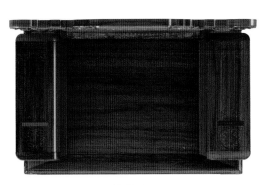

俯视图

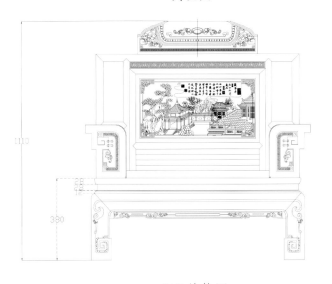

CAD 结构图

沙發類

171

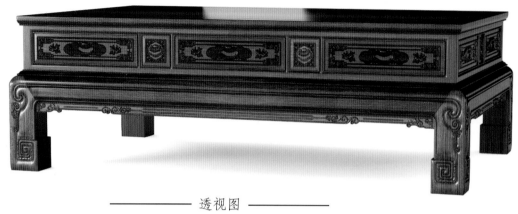

透视图

主视图

侧视图

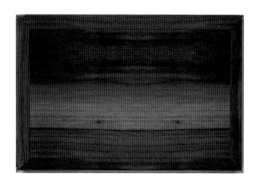

俯视图

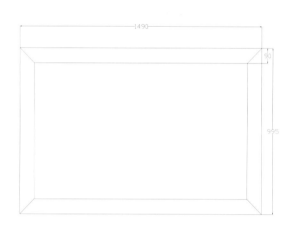

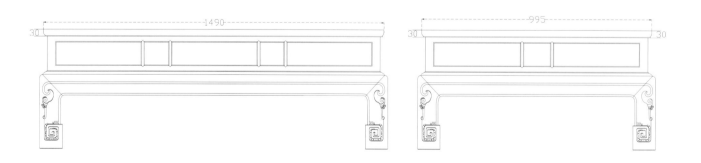

CAD 结构图

主视图

俯视图

透视图

精雕图

CAD 结构图

沙發類

主视图

侧视图

俯视图

—— 透视图 ——

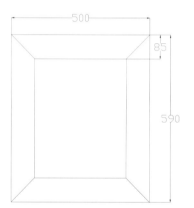

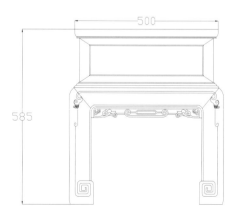

—— CAD 结构图 ——

精雕图

满 庭 沙 发

款式点评：

　　三人沙发座椅背板呈卷轴形，每个靠背板均浮雕不同风景纹式，搭脑雕饰蔬菜造型，沙发扶手较宽，向外弧形弯出，扶手面雕龙纹，座面下无束腰，有牙板，牙板面浮雕纹式。腿面有浮雕，腿足向外卷，整器大气美观，雕饰华丽精致。

透视图

———— 透视图 ————

主视图

侧视图

俯视图

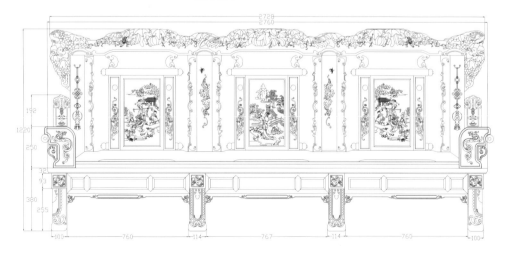

———— CAD 结构图 ————

主视图

侧视图

俯视图

—— 透视图 ——

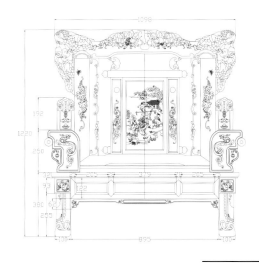

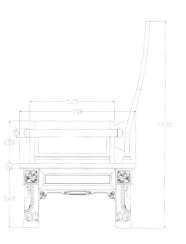

—— CAD 结构图 ——

沙發類

透视图

主视图

侧视图

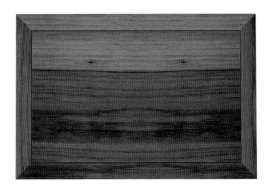

俯视图

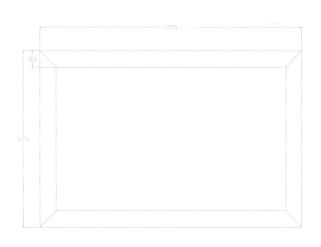

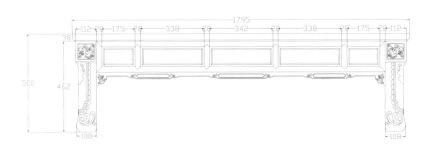

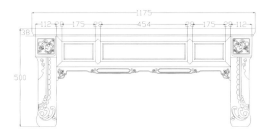

CAD 结构图

透视图

主视图

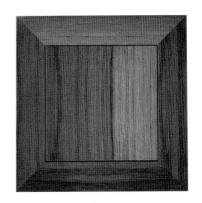

俯视图

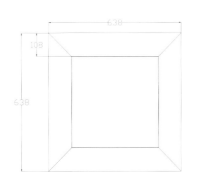

CAD 结构图

精雕图

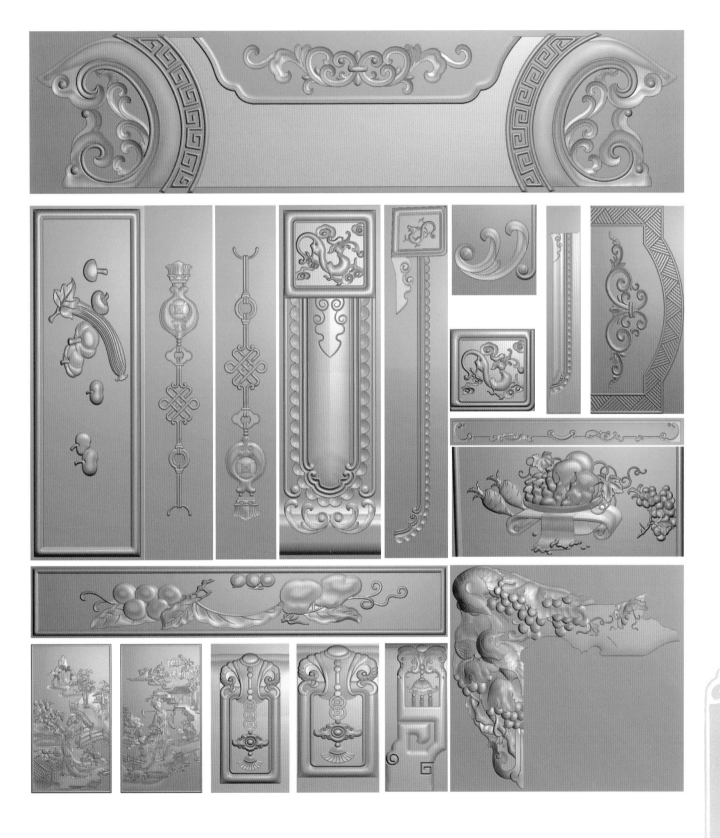

沙發類

天 女 散 花 沙 发

款式点评:

主沙发靠背板浮雕天女散花，搭脑正中下洼，有福在眼前纹式雕刻。
靠背边框上有浮雕，沙发坐板下有束腰，束腰上雕回纹，腿呈三弯状，
腿面牙板均由浮雕。整器大气美观，雕饰华丽精致。

透视图

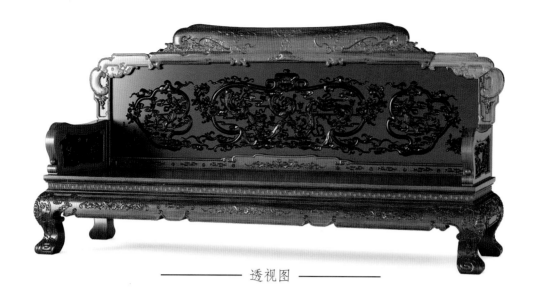

透视图

主视图

侧视图

俯视图

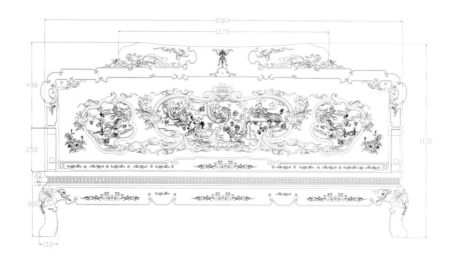

CAD 结构图

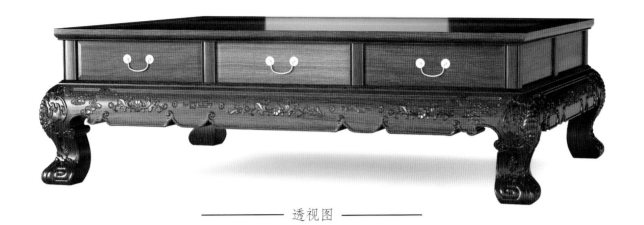

透视图

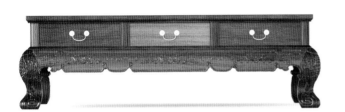

主视图

侧视图

俯视图

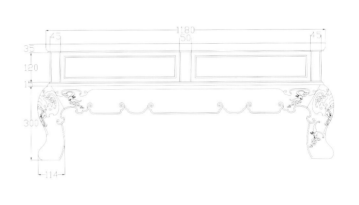

CAD 结构图

主视图

侧视图

俯视图

—— 透视图 ——

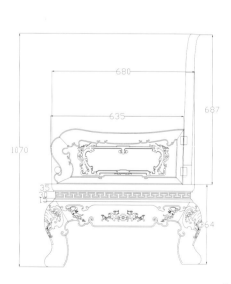

—— CAD 结构图 ——

主视图   侧视图

俯视图

——— 透视图 ———

主视图

俯视图

——— 透视图 ———

沙發類

189

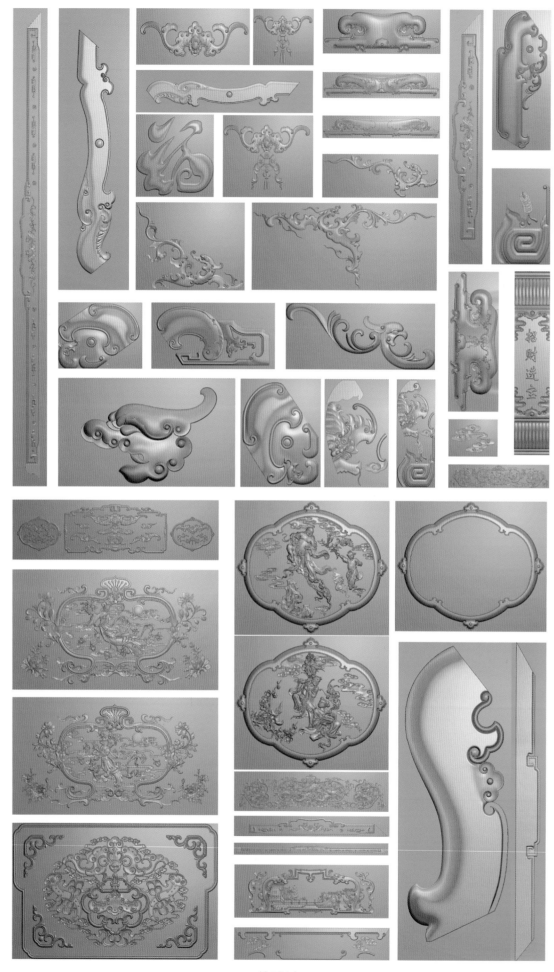

精雕图

喜 庆 满 堂

————— 透视图 —————

款式点评：

　　主沙发靠背板浮雕山水风景图，搭脑向上突起，上游浮雕。靠背边框两端向上翘起，浮雕纹式。沙发扶手宽阔，扶手前面有花纹浮雕。沙发坐板下有束腰，束腰浮雕回纹。腿方直，牙板与腿面均由浮雕。整器大气美观，雕饰华丽精致。

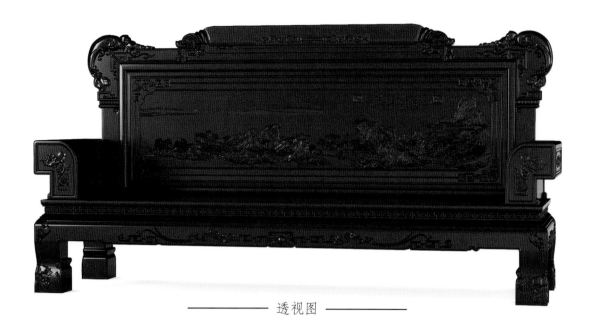

透视图

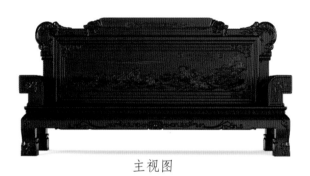 

主视图 侧视图

俯视图

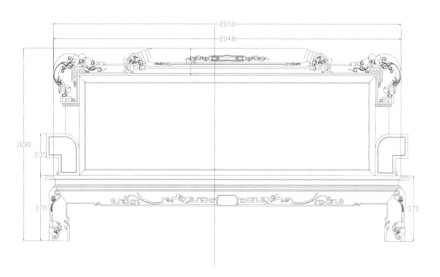 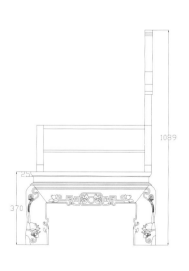

—————— CAD 结构图 ——————

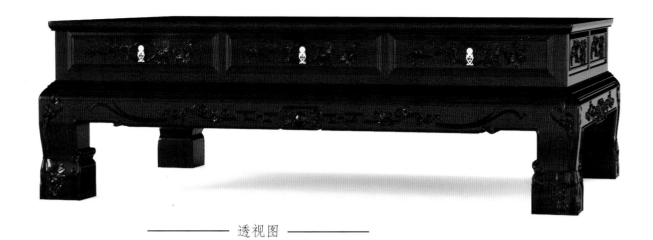

透视图

主视图

侧视图

俯视图

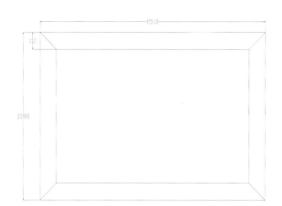

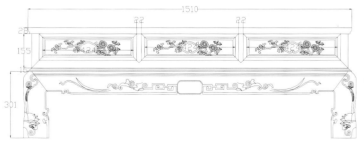 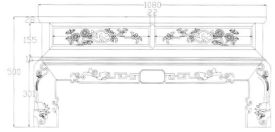

CAD 结构图

侧视图

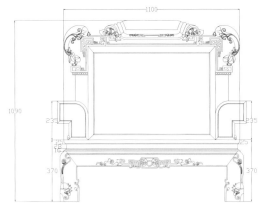

—————— CAD 结构图 ——————

—————— 透视图 ——————

主视图

侧视图

俯视图

—————— 透视图 ——————

主视图

俯视图

透视图

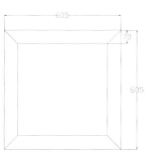

沙發類

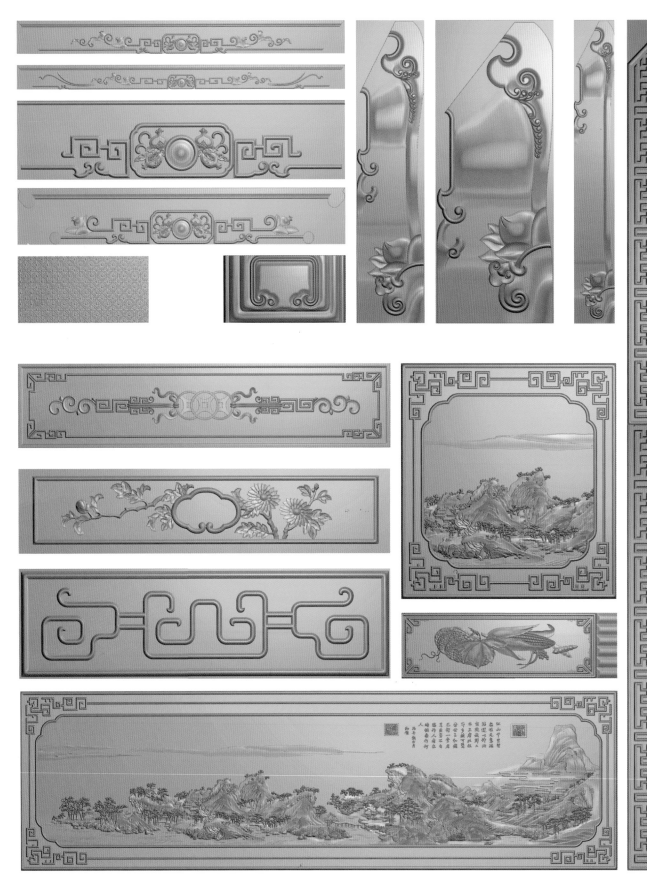

精雕图

大國匠造

靠背沙发

———— 透视图 ————

款式点评：

　　此款沙发靠背板呈弧形弯曲，靠背板光素无雕饰，靠背边框与扶手边框弯曲流畅，座板宽阔，座板下圆腿直足，四足外撇。腿间有直牙板，腿间步步高横枨，横枨下有牙条，高几面下有牙条，圆腿直足，四足外撇，平几与高几造型一致。整体简洁大方，自然优美。

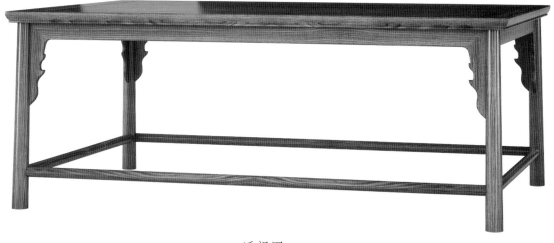

透视图

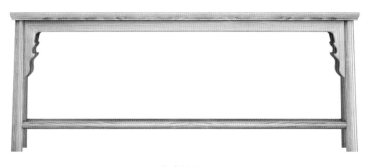
主视图

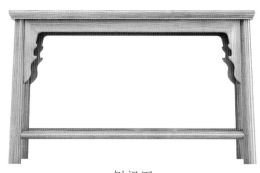
侧视图

俯视图

主视图

侧视图

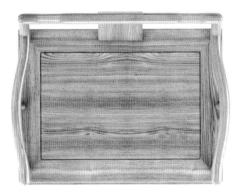

俯视图

透视图

主视图

侧视图

俯视图

———— 透视图 ————

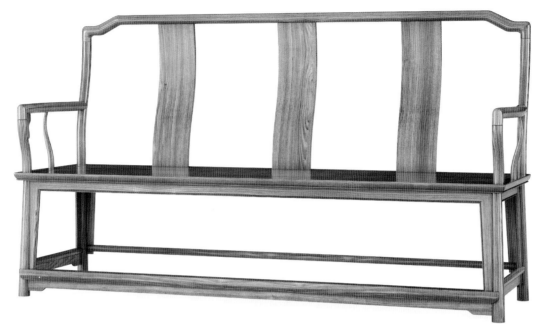

透视图

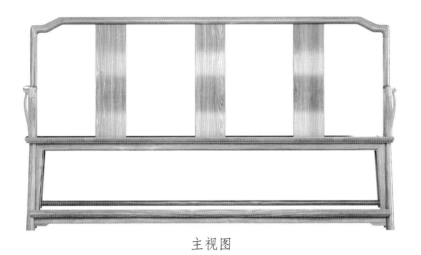

主视图

俯视图

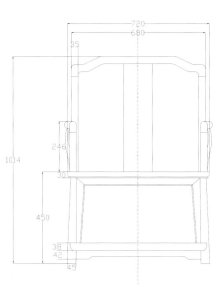

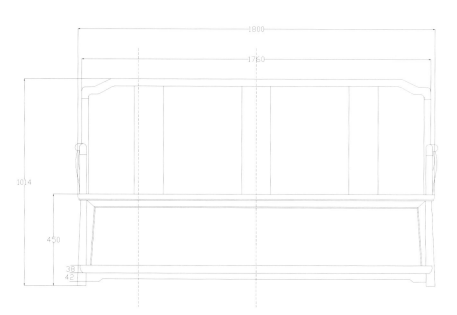

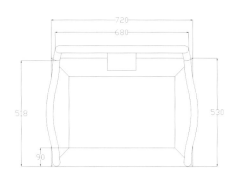

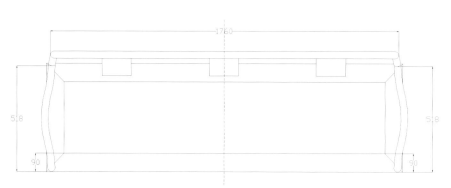

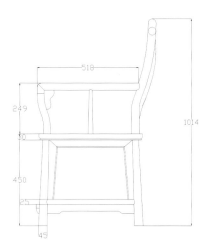

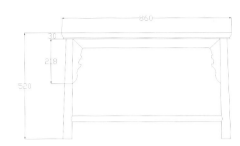

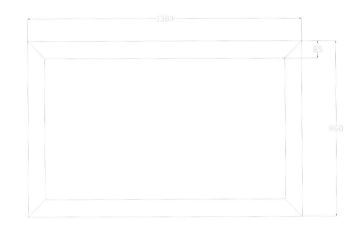

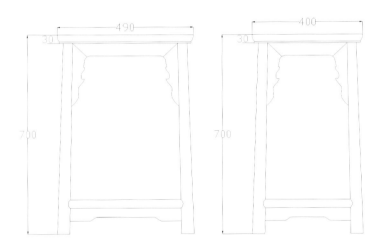

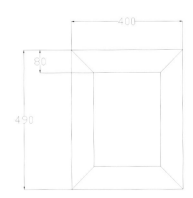

—— CAD 结构图 ——

祥 云 沙 发

款式点评：

　　主沙发为三人沙发，靠背板分三块，靠背板正中镶嵌金丝楠水波纹木，搭脑向上突起，靠背板下有亮脚，底部有回纹角花。扶手板内侧向外翻卷，外侧有回纹边框支撑。座板光素，下有束腰，方腿直足，牙板腿面均浮雕祥云纹式。整器空灵大气，雕饰华丽精致。

透視圖

透视图

主视图

侧视图

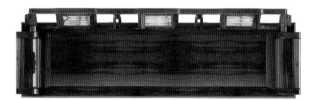

俯视图

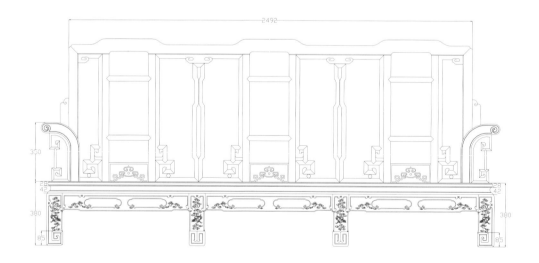

CAD 结构图

透视图

主视图

侧视图

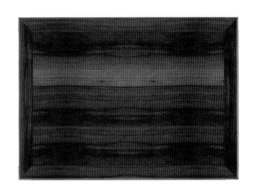

俯视图

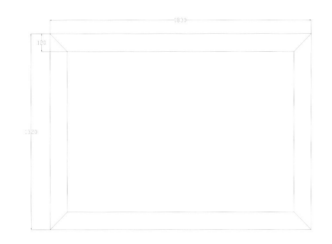

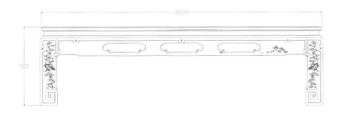

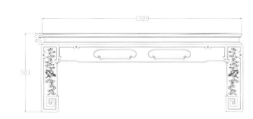

CAD 结构图

主视图

侧视图

俯视图

———— 透视图 ————

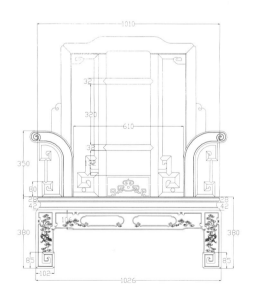

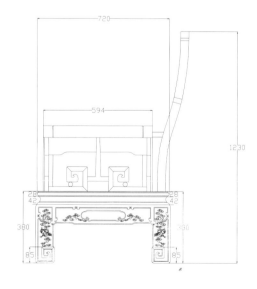

———— CAD 结构图 ————

主视图

侧视图

俯视图

———— 透视图 ————

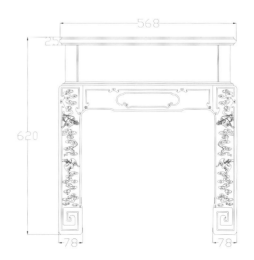

———— CAD 结构图 ————

主视图

俯视图

———— 透视图 ————

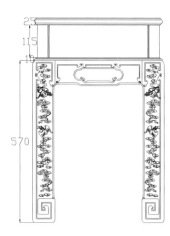

———— CAD 结构图 ————

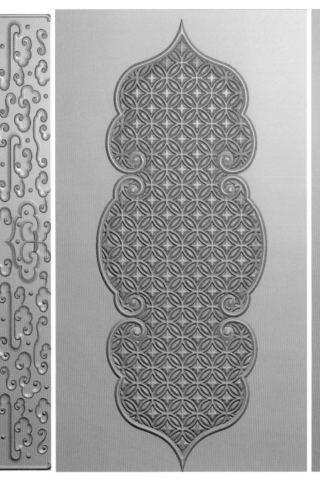

精雕图

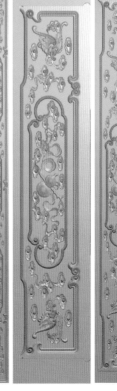

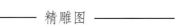
精雕图

沙發類

花梨嵌雕龙沙发

款式点评：

主沙靠背板浮雕卍字纹，靠板上浮雕龙纹，边沿有蝠纹浮雕。靠背边框呈阶梯状向中间升高。靠板下有亮脚，扶手板与靠背板浮雕一样，座板下有束腰，束腰光素无雕饰，牙板浮雕蝠纹，腿面浮雕拐子龙纹。方腿直足，足面浮雕回形纹内卷，脚下有托泥，托泥下有龟脚。整器大气厚重，雕饰精美。

透视图

————— 透视图 —————

主视图

侧视图

俯视图

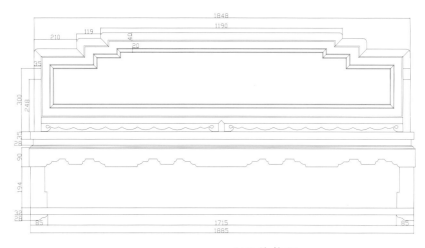

————— CAD 结构图 —————

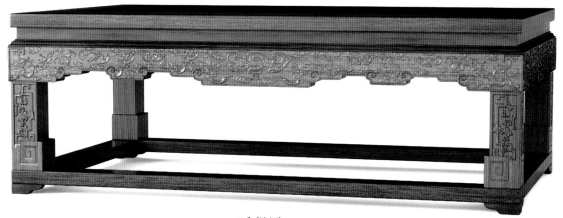

透视图

主视图

侧视图

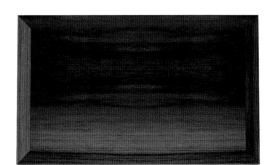

俯视图

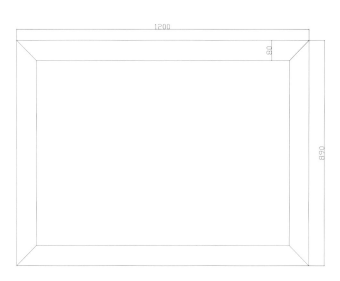

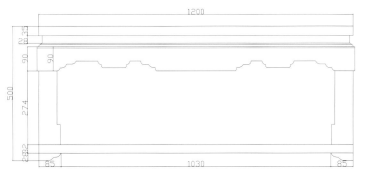

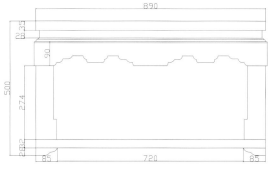

CAD 结构图

主视图

侧视图

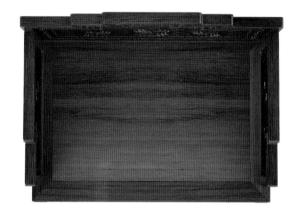

俯视图

—————— 透视图 ——————

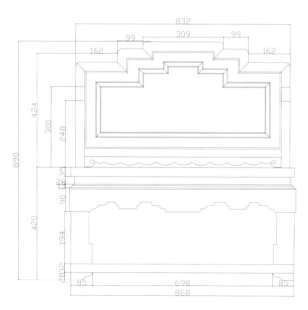

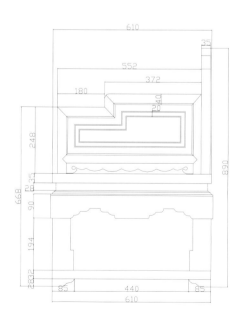

—————— CAD 结构图 ——————

主视图

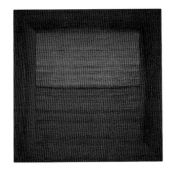

俯视图

—— 透视图 ——

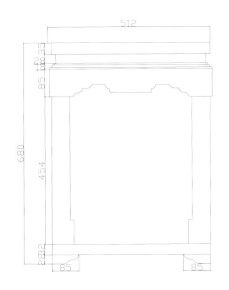

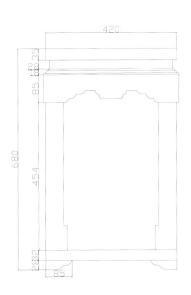

—— CAD 结构图 ——

———— 精雕图 ————

附：明清宫廷府邸古典家具图录
（含部分新古典家具款式）

沙发类

沙发是家庭生活中不可或缺的一种家具，不同材质的沙发会给人带来不一样的感觉，比如红木沙发、硬杂木沙发。

其中的红木沙发一直象征着一种高雅、富贵的品质。

沙发起源于明代，其造型优雅美观，颇具艺术风范。有的红木沙发具有明清古典家具的韵味儿、有的具有西方家具的一些特色，这些沙发不仅保留了古代的古色古香，还符合现代化的风格。

红木沙发颜色多深沉，这点很能展现其古色古香的风情。

它具有一定的分量，比一般的实木要重，红木中其比较好的又要数紫檀、红酸枝、花梨木等等，其散发出浓郁的香味，自然而健康。

名称：沙发

名称：沙发

名称：沙发

名称：沙发

名称：沙发

名称：沙发

名称：沙发

名称：沙发

名称：沙发

名称：沙发

名称：沙发

名称：沙发

名称：沙发

名称：沙发

名称：沙发

名称：沙发

名称：沙发

沙發類

名称：沙发

名称：沙发

名称：沙发

名称：沙发

名称：沙发

名称：沙发

名称：沙发

名称：沙发

名称：沙发

名称：沙发

名称：沙发

名称：沙发

名称：沙发

名称：沙发

名称：沙发

名称：沙发

名称：沙发

名称：沙发

名称：沙发

名称：沙发

名称：沙发

名称：沙发

名称：沙发

名称：沙发

名称：沙发

名称：沙发

名称：沙发

名称：沙发

名称：沙发

名称：沙发

名称：沙发

名称：沙发

名称：沙发

名称：沙发

名称：沙发

名称：沙发

名称：沙发

名称：沙发

名称：沙发

名称：沙发

沙
發
類

名称：沙发

名称：沙发

名称：沙发

名称：沙发

名称：沙发

名称：沙发

名称：沙发

名称：沙发

名称：沙发

名称：沙发

名称：沙发

名称：沙发

名称：沙发

名称：沙发

名称：沙发

名称：沙发

名称：沙发

名称：沙发

名称：沙发

名称：沙发

名称：沙发

名称：沙发

名称：沙发

名称：沙发

名称：沙发

名称：沙发

名称：沙发

名称：沙发

名称：沙发

名称：沙发

名称：沙发

名称：沙发

名称：沙发

名称：沙发

名称：沙发

名称：沙发

名称：沙发

名称：沙发

名称：沙发

名称：沙发

沙
發
類

名称：沙发

名称：沙发

名称：沙发

名称：沙发

名称：沙发

名称：沙发

名称：沙发

名称：沙发

名称：沙发

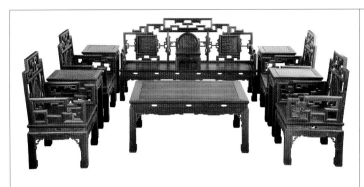

名称：沙发

名称：沙发

名称：沙发

名称：沙发

名称：沙发

名称：沙发

名称：沙发

名称：沙发

名称：沙发

名称：沙发

名称：沙发

名称：沙发

名称：沙发

名称：沙发

名称：沙发

名称：沙发

名称：沙发

名称：沙发

名称：沙发

名称：沙发

名称：沙发

名称：沙发

名称：沙发

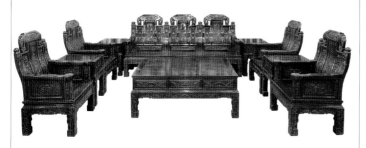

名称：沙发

名称：沙发

名称：沙发

名称：沙发

名称：沙发

名称：沙发

沙
發
類

名称：沙发

名称：沙发

名称：沙发

名称：沙发

名称：沙发

名称：沙发

名称：沙发

名称：沙发

名称：沙发

名称：沙发

名称：沙发

名称：沙发

名称：沙发

名称：沙发

名称：沙发

名称：沙发

名称：沙发

名称：沙发

沙
發
類

名称：沙发

名称：沙发

名称：沙发

名称：沙发

名称：沙发

名称：沙发

名称：沙发

名称：沙发

名称：沙发

名称：沙发

名称：沙发

名称：沙发

名称：沙发

名称：沙发

名称：沙发

名称：沙发

名称：沙发

名称：沙发

名称：沙发

名称：沙发

沙發類

名称：沙发

名称：沙发

名称：沙发

名称：沙发

名称：沙发

名称：沙发

名称：沙发

名称：沙发

名称：沙发

名称：沙发

名称：沙发

名称：沙发

名称：沙发

名称：沙发

名称：沙发

名称：沙发

名称：沙发

名称：沙发

名称：沙发

沙發類

239

名称：沙发

名称：沙发

名称：沙发

名称：沙发

名称：沙发

名称：沙发

名称：沙发

名称：沙发

名称：沙发

名称：沙发